CW00661717

Les étrangers de l'intérieur

Brahim Korera

Les étrangers de l'intérieur

Roman

LE LYS BLEU
ÉDITIONS

Note de l'auteur

Tout d'abord, ce roman est dédié à un martyr pur et noble du recensement à caractère raciste, Lamine Mangane, tombé héroïquement sous la balle d'un gendarme mauritanien au cours d'une manifestation pacifique organisée contre le recensement à vocation discriminatoire, mardi 27 septembre 2011 à Maghama, localité située à 125 km de Kaédi. Ce livre est également dédié à tous les martyrs qui ont été lâchement et sauvagement assassinés en Mauritanie pendant les années de braise, en d'autres termes, durant les périodes les plus sombres de l'histoire de la Mauritanie moderne. Aussi, cette œuvre s'adresse à tous ceux ou celles qui ont milité ou qui militent encore pour que la justice, l'égalité, la démocratie et la paix règnent éternellement dans ce pays. Je pense directement à :

- feu le sage Docteur Kane Hamidou Baba, ex-président de la Coalition Vivre Ensemble,

- l'audacieux Moulaye El Hassene, membre de la RAG,

- la barreuse Kadiata Malick Diallo, députée nationale et membre clé de l'UFP,

- au phénix Balla Touré, le père fondateur d'un mouvement politique SPD,

- la compétente avocate, Fatimata Mbaye, femme engagée pour des causes nobles,

- au fervent défenseur de la justice, Mohamed Ould Maouloud, président de l'UFP,

- au loyal Samba Thiam, président des FLAM et combattant inamovible,

- l'activiste affirmée, Aminetou Mint El Moctar,

- l'insaisissable, Mamadou Kalidou Ba, professeur de l'université de Nouakchott, ami de la vérité,

- Boubacar Baye Ndiaye, journaliste de site CRIDEM, défenseur des opprimés,

- Khally Diallo, le chantre des droits humains,

- au journaliste Ahmedou Ould Wediaa, l'honnête homme, Moussa Soumaré d'IRA,

- au maestro Ibrahima Moctar Saar, leader incontestable d'AJDMR,

- l'irremplaçable, Ladji Traore d'APP, éternel combattant des causes noires,

- la Battante, Dieynaba Ndiom,

- la visionneuse Salimata Ba,

- au fervent défenseur des droits de sans voix Souvi Ould Chein Jibril qui a été torturé, puis assassiné par la police mauritanienne le jeudi 9 février 2023 à Nouakchott,

- au brave Mohamd Lemine Ould Samba qui a été tué, le 30 mai 2023 par une balle réelle d'un policier mauritanien, lors d'une manifestation contre la mort mystérieuse d'Omar Diop.

Enfin, j'exhorte mes lecteurs à lire cet ouvrage avec peu de modération.

Chapitre 1

Aujourd'hui, c'est la rentrée scolaire en Mauritanie. Comme chaque année, les parents sont en première ligne pour aller inscrire leurs enfants dans différentes écoles du pays. Comme d'habitude, les pauvres inscrivent leurs enfants dans des établissements scolaires gouvernementaux ou encore dans des écoles privées précaires : sans bancs, ni tables, ni un bon tableau, ni d'enseignants professionnels. Tandis que les riches optent pour les prestigieuses écoles privées du pays comme le lycée français Théodore Monod de Nouakchott, le lycée des cadres de Nouakchott, le lycée privé du Sahel de Nouakchott, la classe sociale moyenne quant à elle choisit de bonnes écoles moins coûteuses qui ont fait leurs preuves dans la qualité de son enseignement, mais aussi de sa réussite. Le nom de l'établissement scolaire privé qui revenait tout le temps dans la discussion de la classe moins aisée de Nouakchott c'était « Djoukhamadja ». En effet, Djoukhamadja est l'une des meilleures écoles de la Mauritanie en termes d'infrastructures scolaires et de la qualité de l'enseignement. C'était la raison pour laquelle beaucoup de parents voulaient inscrire leurs enfants dans cette école. Cet établissement scolaire est situé dans le quartier de Medina R de Nouakchott, mais avait également beaucoup d'annexes dans plusieurs quartiers de Nouakchott comme : 5e, PK, Ksar… On y trouvait toutes les composantes de la Mauritanie : les Soninko, les Peuls, les Wolofs, les Beidanes, les Haratins et les Bambaras. Étudier dans cet établissement est un prestige particulier pour les élèves mauritaniens, car cette école est très organisée. Le directeur général, le directeur des études, des surveillants et même les plantons travaillaient tant bien que mal pour la réussite totale de cette école. Dans cet établissement, il y avait des psychologues et des médecins s'occupant des élèves en difficulté. C'était rare, pour ne pas dire inexistant en Mauritanie, de trouver le genre de ces services dans un établissement scolaire. En plus, les six meilleurs élèves de cette école, de chaque année, venaient aussi de s'inscrire pour leur dernière année. Cette année était une année décisive pour eux, car ils feraient tous la classe de terminale.

Ces six bons élèves avaient débuté ensemble leurs études dans cet établissement depuis leur bas âge jusqu'aujourd'hui. Ils étaient aussi de bons amis, en même temps. Ils ne se séparaient presque jamais. Leurs camarades de classe les appelaient « Les six ».

Ces jeunes hommes avaient vraiment de grandes ambitions en commun. Ils s'étaient même collectivement fixé un objectif clair : dans un premier temps, ils décrocheront leur diplôme du baccalauréat, iront étudier dans de prestigieuses universités internationales. Puis, en second temps, ils retourneront au bercail pour faire bousculer les habitudes. Ces six jeunes garçons n'étaient pas d'incultes, au contraire, ils étaient conscients des injustices qui paralysaient la vie politique, économique, sociale et même culturelle de leur pays. C'était pour cela qu'ils avaient décidé de faire front commun pour changer le cours de l'histoire de leur pays dans le futur.

Le goût du changement les avait poussés dès le départ à créer un groupe WhatsApp baptisé « Cadres de demain ». Dans ce groupe, ces six jeunes garçons traitaient tous les thèmes cruciaux du pays. Mais le thème qui dominait tout le débat de tous les jours, c'était le racisme d'État en Mauritanie.

Chaque dimanche, ils se retrouvaient dans leur établissement pour réviser ensemble malgré qu'ils ne partageaient pas tous la même branche. Leur engouement envers les études plaisait beaucoup à leur directeur général. Il les adulait tout le temps devant les autres élèves. Ce n'était pas pour rien que celui-ci les glorifiait. D'ailleurs, il y a plus d'une décennie, c'était toujours eux qui raflaient tous les prix de meilleurs élèves de l'année. Ils avaient aussi remporté quatre années consécutives le prix de bon voisinage de leur établissement. Le prix de meilleurs élèves avait été conçu par le Directeur de Djoukhamadja, Monsieur Diallo. Ce prix était destiné aux 3 meilleurs élèves de chaque classe. Quant au prix de bon voisinage, il était dédié à un groupe d'élèves de différentes ethnies du pays qui étaient de bons amis dans l'établissement. L'objectif du premier prix était d'encourager les récipiendaires à s'investir pleinement dans l'éducation, mais aussi de motiver les autres à faire mieux.

Et le deuxième prix avait pour dessein de renforcer le vivre-ensemble entre les uns et les autres. Toutefois, ces prix leur ont valu plusieurs ennemis au sein même de leur établissement. Certains élèves les insultaient sur les réseaux sous anonymat, mais d'autres les faisaient à visage découvert. Malheureusement, ces élèves oubliaient que le fait de les critiquer ou de les insulter ne faisait qu'augmenter leur cote de popularité dans la ville, surtout comme ils étaient souvent invités dans des radios web ou des forums sociaux pour parler de leur parcours académique. En outre, les six meilleurs élèves de Djoukha étaient tous d'ethnies différentes, de zones géographiques séparées et chacun avait un comportement différent de l'autre. Cependant, ils avaient tout de même la même vision : changer la Mauritanie coûte que coûte.

Kolo Koulibaly était issu d'une ethnie soninké. Né en 1990 dans un village situé au sud de la Mauritanie, appelé Sabouciré. Ce village regorge d'une beauté magnifique qui laisse ses visiteurs sans voix. Il est entouré de jolies collines qui dégagent une beauté supranaturelle, surtout au coucher du soleil. Koulibaly était élève de la terminale A. Il était mince, sa peau mate, son visage rond, ses cheveux méticuleusement séparés par une raie et sa barbe parfaitement entretenue. Il avait un regard de sérénité. Avec lui, il fallait parler franc et direct. Il était un bon élève, mais colérique. Son domicile se trouvait dans le quartier de 5ᵉ de Nouakchott, non loin de l'agence BMCI.

Ismaël Thiam était un peul originaire de Mbagne, une ville envoûtante située au sud-ouest de la Mauritanie dans la région de Brakna à la frontière avec le Sénégal. Il était clair de peau, court, un visage carré et un physique de sportif de haut niveau. Ce dernier était admiré par ses camarades. Mais il était le plus coriace du groupe et avait toujours un regard noir. En un mot, celui-ci avait une personnalité affirmée. Intelligent il était certainement. D'ailleurs, c'était pour cela que ses amis l'appelaient Cheikh Anta Diop. Sa maison était à Basra non loin de la boutique de coca-cola.

Cheikh Diop était le fils d'Eladj Diop, né à Rosso, une ville située au sud de la Mauritanie.

Il était wolof, il avait la peau noire comme le charbon, long et gaillard. Sa physique de lutteur était impressionnante. Il était souriant, gentil et malléable. Mais quand il se mettait en colère, il n'écoutait personne.

Il était l'un des meilleurs élèves de terminale D. Il logeait à Couva non loin de garage Guidimakha.

Bouba Keita était d'ethnie bambara. Cependant, son grand-père fut arrivé en Mauritanie en 1935 et son père fut né 10 ans avant le 28 novembre 1960 à Atar. Même si l'histoire a toujours prouvé qu'il y avait beaucoup de Bambaras sur le sol mauritanien avant les indépendances, toutefois la constitution mauritanienne ne reconnaît pas cette ethnie comme faisant partie de celles du pays. Né à Atar, dans une ville située au centre ouest de la Mauritanie, Bouba Keita avait la taille moyenne, un teint grisâtre, le nez pointu, de cheveux châtains et les lèvres minces. Il était un grand communicant, mais aussi un grand rassembleur. Il faisait la terminale C et il habitait dans le quartier de Ksar.

Bilal Ould Bilal était le plus calme du groupe. Il était également un homme simple et sympa, avait la peau assez claire et était beau. Il était un excellent élève, mais il souffrait du syndrome d'imposteur. Il était haratin, malheureusement il ne connaissait pas ses origines, il était né à Nouakchott et il habitait dans le quartier de Kebba. Il faisait la terminale C.

Enfin, Mohamed Lemine quant à lui était un Beidane, originaire de la ville de Tidjikdja, une ville située au centre de la Mauritanie. Il était blanc, court et gros. Il était un élève qui était au-dessus de la moyenne. Il avait le complexe de parler la langue française, car il avait un accent particulier, et il participait rarement au cours. Néanmoins, il obtenait le plus souvent de bonnes notes. Il avait vraiment une personnalité trop complexe.

Malgré la particularité du comportement de chacun d'eux, ils entretenaient tout de même une relation amicalement parfaite. Chaque premier samedi du début de mois, ils cotisaient pour y aller passer la journée chez l'un d'eux, excepté chez Mohamed Lemine ; chaque fois que son tour arrivait, il demandait des excuses incommensurables à ses amis.

Lundi 20 mars 2023, le professeur d'arabe, Monsieur Zéine Ould Zidane, rentra bizarrement dans sa classe avec un regard très étrange sans dire bonjour à ses élèves. Soudain, il s'assit brutalement sur sa chaise, se lava sans un mot toujours, commença à marcher doucement entre les tables des élèves. Tout à coup, il s'arrêta à côté de la troisième table puis se fixa sur un élève qui chuchota dans l'oreille de son ami, secoua sa tête, murmura et continua sa balade inlassablement dans la salle. Ce fut un silence tombal. Il se dirigea vers l'estrade, enleva ses lunettes de soleil, prit sa bouteille d'eau, ingurgita quelques gouttes et resta immobile. La tension était à son comble dans la classe de la terminale D. La plupart des élèves écarquillèrent leurs yeux dans le vide. Aussitôt, un élève se déchaîna au fond de la salle. Il s'agissait bien d'Adama Sow, le perturbateur en chef. Il demanda à son professeur avec une voix tonitruante s'il n'avait pas un problème familial. Les élèves crièrent et tout le monde se détendit. Finalement, l'indéfinissable professeur d'arabe a pris la parole :

— Assamualaikum warahmatullahi wabarakatuh, nous sommes sans doute au soir du deuxième trimestre de cette année scolaire. N'oubliez surtout pas que vous êtes à quelques mois du concours du baccalauréat. Eh bien, si vous voulez obtenir le Bac avec une mention particulière, il va falloir que vous travailliez durement dans toutes les matières, car un bon élève n'est pas celui qui maîtrise exclusivement les matières de bases, mais plutôt celui qui connaît un peu de toutes les matières. Je sais que vous êtes en terminale D, par contre l'arabe n'est pas votre matière de base. Néanmoins, cela ne signifie pas que vous devriez le négliger. Au contraire vous devriez l'aimer, car c'est la langue du coran et tout musulman qui ne connaît pas cette langue n'est pas un bon musulman.

De plus, la fois passée, vous avez fait le dernier devoir du deuxième trimestre. J'ai amené vos notes. Elles sont catastrophiques. Il n'y a que trois élèves qui ont eu 20/20 et pour les autres élèves c'est de la désolation totale. Dans les minutes qui suivent, je veux vous distribuer vos copies. Et pour le moment rien n'est trop tard pour ceux qui n'ont pas eu de bonnes notes. Vous avez le temps de rehausser votre niveau.

— Monsieur je suppose que je fais partie de trois élèves qui ont eu 20/20, dit Cheikh Diop.

— Tais-toi, Cheikh Diop, ou tu prends immédiatement la porte ! Bon, revenons à nos moutons.

Aly Camara 01/20

Adama Sow 02/20

Samba Traore 03/20

Cheikh Diop 04/20

Yahya Ould Hamedou 20/20

Mohamed Ould Mahmedou 20/20

Mohamed Lemine 20/20…

— Je m'y oppose carrément, Monsieur ; la note maudite que vous m'avez attribuée ne correspond nullement à mon travail. Veuillez regarder minutieusement la correction qui est au tableau et celle de ma copie ; elles sont identiques du début jusqu'à la fin.

— Je ne regarderai rien, jeune homme, dit le prof, comme tu continues à m'embêter avec ta note abominable, tu vas connaître ma face cachée bientôt, inch'Allah.Tout d'abord, tu sais bien que tu es

« Kori ». Dis-moi comment un fils d'un négro-africain de Mauritanie peut-il connaître la langue arable, notre langue, la langue de nous les blancs de Mauritanie ? La langue arabe que je suis en train de manipuler avec jalousie, c'est la langue de nos ancêtres. En d'autres termes, cette langue c'est pour nous les Arabes de Mauritanie, mais aussi les Arabes d'autres pays comme l'Arabie Saoudite, Qatar, Palestine, Maroc, Tunisie, Koweït ou Bahreïn. Dans l'ordre des choses, un Soninké, un Peul ou un wolof comme toi ne pourra jamais parler correctement cette langue, car elle n'est malheureusement pas dans votre ADN. Par contre, elle circule romantiquement dans notre sang.

Contrairement à vous, cette langue est le plus beau cadeau que la civilisation nous a légué. Elle circule agréablement dans notre veine. Donc elle la nôtre et non la vôtre. Quoi que vous fassiez, vous ne pourriez jamais parler cette langue comme nous les Arabes. Vous aurez toujours les problèmes de prononciation, d'articulation des mots et tant d'autres obstacles.

Ensuite, tous les noirs de Mauritanie sont originaires de la Guinée-Conakry, du Burkina Faso, du Mali et du Sénégal. Vous êtes venus dans notre pays comme les étrangers pour la quête d'une vie meilleure. On vous a accueilli au nom de l'islam. Et maintenant vous voulez accaparer de notre place. Vraiment, vous êtes des ingrats. À titre d'exemples, les noms de famille comme Camara, Diallo et Ba sont originaires de Guinée Conakry. Ouédraogo, Traoré et Touré sont originaires du Burkina Faso. Diop, Diouf, Fall et Niang sont originaires du Sénégal. Diarra, Soumaré, Diawara, Kanté sont originaires du Mali.

— Monsieur le professeur, avec tout le respect que je vous dois, je n'ai nullement l'intention de vous offenser. N'est-ce pas vous et moi sommes en train de communiquer en arabe maintenant ? Bien que vous veniez de dire que nous les négros africains de ce pays ne parlons pas l'arabe et pourtant moi je suis en train de parler en arabe avec vous maintenant, c'est d'ailleurs vous qui me répondez en Hassanya dans ce cas qui ne parle pas l'arabe dans ce pays ? S'il vous plaît, Monsieur, je ne veux pas que vous m'appeliez « Kori », ce mot a une connotation péjorative.

— Ferme-la ! Cheikh Diop, impoli ! Je me demande comment tu as eu l'audace de me dire que je ne parle pas l'arabe ? Effectivement, je t'ai parlé en hassanya, pas parce que je ne parle pas bien la langue arabe, mais justement parce que ce que tu appelles dialecte est une langue nationale en Mauritanie. Par conséquent, celui qui ne parle pas cette langue est un étranger. Mon petit, même si j'apprécie tellement ta ténacité et ton intelligence, tu penses vraiment que tu es capable d'obtenir 20/20 en arabe devant les Maures blancs ? Quel beau et impossible rêve ! Tu penses que c'est par hasard que ces 3 élèves Beidanes ont eu tous 20/20. C'est juste parce que cette langue nous est innée, donc c'est facile pour nous de nous l'imprégner.

Mohamed Lemine est estomaqué d'entendre son prof utiliser des expressions à caractère raciste à l'endroit de son ami. Dans un premier temps, il voulait répondre à son professeur de façon musclée, mais il était dubitatif, car celui-ci était féroce. Il continuait tout de même à maugréer désespérément. Il était tellement confus. L'un de ses camarades de classe qui était à sa main gauche lui a dit doucement : « Vas-y, frangin, dis ce que tu en penses, à ce prof raciste ! »

Ce dernier respirait fort trois fois et il a commencé à parler : « Monsieur, je ne suis pas d'accord sur tout ce que vous venez de dire à mon ami. Eh bien si vous voulez m'attendre. Tenez-vous bien ! D'emblée, la langue n'a ni couleur, ni ethnie, ni lieu géographique. Il suffit de l'apprendre pour la connaître. Si la langue appartenait en une seule couleur, ex-président et poète sénégalais, Léopold Sédar Senghor n'irait jamais travailler à l'Académie française. Si la langue était intimement liée à une ethnie quelconque, Cheikh Hamidou Kane du Sénégal ne serait jamais un grand écrivain de dimension universelle. Si le lieu géographique était attaché en une langue quelconque, le docteur Cheikh Anta Diop n'irait pas défier les égyptologues du monde entier lors de la conférence du Caire organisée par l'UNESCO en 1974 au Caire en Égypte. Tous ces grands connaisseurs que je viens de citer sont tous issus du même pays africain très loin de la France. C'est pour cela que j'ai toujours dit que le seul ami d'une langue est celui qui la considère. Les leaders sénégalais avaient compris dès le début des années 60 que la langue française était un point commun pour toutes les ethnies de leur pays. Ils en avaient saisi cette opportunité pour éviter le tribalisme ou le régionalisme. Sinon Léopold Sédar Senghor étant Sérère, il avait le pouvoir de faire de sa langue maternelle la seule langue officielle du Sénégal. Mais il n'avait pas fait pour éviter le problème ethnolinguiste dans son pays. Ahmed Sékou Touré qui était anti-peul convaincu et anti-impérialiste avoué aurait pu utiliser sa langue maternelle comme la seule langue officielle de la Guinée Conakry pour bloquer les Peuls dans l'administration de son pays, mais aussi pour tourner définitivement le dos à la France. Toutefois, il n'avait pas aussi fait cela pour ne pas créer la haine séculaire entre les uns et les autres. Je suis Beidane, mais je suis contre ce que nos leaders avaient fait dès l'aube de notre indépendance.

Ils avaient écrit une constitution à leur faveur qui reconnaît la seule langue arabe comme étant la langue officielle du pays tout en bannissant les autres langues sans même penser aux conséquences qu'elles pourraient engendrer. Aujourd'hui, les graines des problèmes de la langue germent dans la tête de toutes les communautés noires du pays.

D'autre part, Cheikh Diop est sans doute le meilleur élève de notre classe. Je l'ai connu, il y a de cela plus d'une décennie. Durant toutes ses années, il n'a jamais partagé son titre de major de la classe avec un autre élève. C'est d'ailleurs moi qui le suis le plus souvent. Il maîtrise pratiquement beaucoup de langues internationales notamment : l'arabe, l'anglais, le français et même l'espagnol.

Pour terminer, j'ai bien vu sa copie. Il a répondu avec exactitude toutes les questions qui ont été posées. Contrairement à moi, comme les quatre questions étaient des questions fermées, j'ai faussé deux d'elles, donc j'ai devrais avoir 10/20 et non 20/20. C'est lui qui mérite 20/20, car il a trouvé les réponses de toutes les questions. Mohamed Lemine, comment oses-tu me faire le cours de l'histoire de la langue ? Il ne faut pas oublier aussi que les liens de parenté qui nous unissent. Je suis ton frère du même sang. Toi et moi nous avons la même couleur de peau, la même tribu et la même culture. Je respecte totalement ta position, non pas parce que tu as dit la vérité, mais juste parce que tu es jeune et tu ne connais pas grand-chose dans ce pays. Ces gens que tu prétends croire qui sont tes vrais amis, crois-moi le jour où ils auront le pouvoir, nous serions les Palestiniens de Mauritanie. Nous serons chassés sur la terre de nos ancêtres et nous serons recolonisés par eux. Je ne te conseille pas comme ton professeur, mais plutôt comme ton grand frère, de faire attention avec ces « Kori ». Je sais que tu as beaucoup d'amis parmi eux et je sais que tu pourras grandir avec eux, mais un jour tôt ou tard, ils vont te trahir et ils vont te quitter définitivement. »

Cheikh Diop n'en revenait pas, il se croyait dans un cauchemar interminable ou dans un film d'horreur. L'attitude farfelue de son prof lui laissait bouche bée. Il se sentait étranger dans son propre pays, un pays dans lequel son arrière-grand-père, son grand-père, son père furent nés, grandirent et moururent.

Le pays dans lequel lui-même est né et grandit. Tellement le propos de son prof d'arabe lui avait mis le couteau dans le cœur, il avait même comme dernière option d'attaquer physiquement celui-ci. C'était son ami, Mohamed Lemine qui lui avait supplié d'oublier cet incident. Finalement, il accepta de faire le dos rond.

Après le cours, Mohamed Lemine avait lancé l'affaire de Cheikh Diop dans leur groupe de WhatsApp dénommé « Les cadres de demain ». Les autres amis de celui-ci avaient eu du vague à l'âme après avoir appris cette néfaste nouvelle. Ils avaient même décidé d'aller porter plainte contre ce dernier. Cependant, Mohamed Lemine avait vivement et activement conseillé à ses camarades de régler cette affaire à l'amiable pour protéger la réputation de leur établissement. Toutefois, Ismaël Thiam avait refusé mordicus que cette affaire soit réglée comme le voulait son ami. En premier lieu, comme c'était leur professeur, censé montrer les bonnes manières aux citoyens du pays, qui avait commis une telle bêtise, Thiam voulait que cette affaire soit saisie par la justice pour éviter que le même scénario se reproduise. En second lieu, il voulait également que cet incident soit médiatisé pour mettre au courant certains pays qui ignorent ou qui refusent de reconnaître le raciste d'État qui freine le développement de l'Homme noir en Mauritanie. Enfin, après d'âpres insistances de ses amis, Ismaël Thiam a fini de céder difficilement contre son cœur.

C'était la fin du mois de juin, la température était tellement élevée, les villageois attendaient impatiemment la première pluie de l'année à l'intérieur du pays tandis que les élèves, eux, se préparaient pour les examens finaux. Les élèves de Djoukha quant à eux se préparaient pour deux choses : la première était l'organisation de la fête de fin d'année scolaire. Chaque année, ils avaient l'habitude d'organiser une fête grandiose pour clôturer en beauté l'année scolaire. Chaque chef de classe était chargé de s'occuper de la cotisation de sa classe. Certains élèves avaient déjà passé leurs commandes d'habits au Sénégal ou au Maroc. C'était le moment fort des fêtards ; la plupart des élèves qui s'occupaient de l'organisation de cette fête étaient des nullards. Certains parmi ces incompétents élèves oubliaient même qu'ils étaient proches des examens finaux et qu'ils devraient réviser leurs cahiers. Cette année était une année très particulière pour Cheikh Diop, car durant ces six dernières années c'était lui qui était le président du comité d'organisation. Toutefois, il a été remplacé cette année par Ahmed Yayah, car il est trop pris pour la révision du concours du baccalauréat qui aura lieu la semaine prochaine.

L'heure des marabouts a sonné. Le jour J moins 7, certains élèves de Djoukha avaient quitté Nouakchott pour aller voir leur marabout à l'intérieur du pays. Alors que d'autres avaient même traversé le fleuve Sénégal pour aller se consulter auprès de leurs fameux marabouts ou devins. En partant, certains avaient également amené avec eux les moutons blancs, les coqs rouges et les colas. Après leur retour, il y a certains élèves qui décidèrent de renoncer au concours du Bac, car leurs marabouts ou leurs féticheurs leur avaient interdit strictement d'y participer. C'était vraiment une période folle avec des décisions folles. Cheikh Diop quant à lui était étonné d'entendre l'histoire de marabout que ses camarades de classe lui en parler. Il ne comprenait pas comment ces marabouts pourraient donner le Bac aux élèves en question, si ces derniers ne travaillaient pas. Ainsi disait-il que « si les marabouts voyaient vraiment le futur, aucun d'eux aurait un avenir mal assuré ». En plus, tous les membres du groupe des cadres de demain ne croyaient pas au pouvoir métaphysique des marabouts. Ils considéraient tous les marabouts qui tapaient la poitrine comme de véritables profiteurs des personnes ayant la faculté morale inapte d'analyser méticuleusement les choses.

Finalement, même si les six amis critiquaient sans cesse leurs autres camarades qui faisaient allégeance à leur marabout, cependant ils avaient aussi la peur au ventre. D'un côté, ils disaient tout le temps à tout le monde que leur but n'était pas de décrocher le baccalauréat seulement, mais aussi d'arracher les bourses des études qui leur permettraient de poursuivre convenablement leurs études supérieures à l'étranger. De l'autre côté, ils craignaient aussi la peur de perdre le Bac, car s'ils échouaient, certains de leurs camarades diraient que leurs échecs étaient liés aux critiques qu'ils infligeaient aux marabouts. Ce n'était pas tout, chacun parmi eux avait promis également à ses parents de faire partie des dix premiers de la Mauritanie cette année. Ils avaient donné des promesses mirobolantes de retourner, 11 ans après le Bac au bercail afin d'instaurer la justice sociale dans leur pays : la Mauritanie. Ce rêve les animait fortement toutefois, ils avaient tout de même du pain sur la planche. Ces six jeunes étaient déterminés à faire bouger les choses après leur cursus universitaire. Contrairement aux jeunes de leur génération, quand ils se retrouvaient au tour du thé, ils préféraient parler de foot ou encore de la musique. Néanmoins, leurs débats s'articulaient toujours autour des thèmes cruciaux de leur époque comme : le racisme, la négrophobie, le chômage, la pauvreté, le changement climatique, l'extrémiste et le terrorisme…

Chapitre 2

Après 11 longues années d'absence sur le territoire national, les six amis se retrouvèrent dans leur pays. Durant plus d'une décennie, de labeur, de la souffrance, de la résistance et de la ténacité, certains parmi eux ont réussi à faire une carrière académique remarquable à l'étranger tandis que l'un d'eux a connu une prouesse inimaginable dans sa vie professionnelle sans même quitter le pays.

À la fin des études secondaires, Kolo Koulibaly était inscrit à l'université de Tunis, Elmanar. Cette université est très connue à l'échelle internationale ; elle accueille chaque année toutes les nationalités. Cependant, dans cette faculté, il y a plus des étudiants français que les étudiants des autres pays européens, surtout dans le département de la médecine. Même si cette université est connue par son accueil des étudiants des horizons différents et par sa qualité de l'enseignement, cela n'avait pas empêché l'ancien élève de Djoukha de faire la différence. Kolo a été major de sa formation ; par conséquent, il a été sanctionné par un doctorant en littérature négro-africaine. Premier Mauritanien à obtenir cette distinction dans cette université, c'était lui. Quelle fulgurante ascension ! Le ministre de l'Enseignement supérieur et de la Recherche scientifique de Tunisie en personne lui avait même proposé de rester et de travailler en Tunisie. Cependant, il avait décidé de rentrer dans son pays natal pour y contribuer à son développement. Cheikh Diop avait choisi de poursuivre ses études supérieures à l'université de Sorbonne. Après son doctorant en chimie nucléaire, il avait travaillé au laboratoire d'Irène Joliot Curie, pendant quelques années. Mais il avait aussi regagné son pays pour ne pas trahir la promesse décennale qu'il avait faite à ses amis. Bouba Keita avait choisi l'Amérique du Nord, plus précisément les États-Unis pour ses cursus universitaires. Il avait obtenu son doctorant en ingénierie robotique à l'université Massachusetts Institute of Technology {MIT}, l'une des meilleures au monde. Ismaël Thiam lui aussi avait choisi l'Amérique du Nord, mais plus précisément le Canada. Il était retourné au pays aussi avec un doctorant en droit international.

Bilal Ould Bilal quant à lui, contrairement à ses amis, avait effectué ses études universitaires non loin de la Mauritanie : au Sénégal. Après son master en télécommunications, il avait décroché un bon travail au Sénégal dans une entreprise dénommée Le Groupe Sonatel. Mais il avait décidé de tout quitter pour retourner dans son pays. Autrement dit, pour respecter l'engagement que ses amis et lui avaient pris quand ils étaient en classe de terminale. Enfin, Mohamed Lemine quant à lui avait fait l'exception de ses amis. Après le baccalauréat, il était inscrit à l'université de Nouakchott. Mais c'était vraiment dur pour lui, car il avait fait 3 ans en première année de la médecine. Comme, il n'avait pas pu valider ses matières en première année, il avait finalement abandonné les études. Cet échec scolaire n'avait pas affecté sa vie professionnelle, au contraire il occupe aujourd'hui un poste très important à la Banque centrale de Mauritanie. Il a été parachuté à ce poste par la caution tribale.

Une semaine après le retour des anciens élèves de Djoukha au bercail, Mohamed Lemine les invita chez lui, dans sa propre villa. La villa qu'il avait construite pendant juste 3 ans du travail. Lorsqu'ils étaient ensemble jadis, quand le silence s'installait, c'était Cheikh Diop qui faisait l'humour pour détendre l'atmosphère. Mais là, personne ne parle, y compris lui-même. L'atmosphère était trop pâle dans la maison de Mohamed Lemine. Ses amis écarquillaient leurs yeux pour admirer sa maison démesurée. Chacun avait un regard bizarre. Le propriétaire de la somptueuse villa tentait de créer une atmosphère de la plaisanterie, mais personne n'était prêt pour ça malheureusement.

En effet, si les amis de Mohamed Lemine étaient tombés sous le charme de sa belle maison hors commun c'est qu'il y avait une bonne raison de le faire. La maison de celui-ci a été bien battue. Elle était tellement grande ; on dirait que le stade de foot est spacieux et composé de 3 étages. Cette villa était toute blanche d'ailleurs son propriétaire lui-même l'appelait maison blanche. Cette maison était entourée d'un joli jardin fleuri, mais aussi des agrumes soigneusement coiffés. Même si cette maison était époustouflante de l'extérieur, à l'intérieur c'était cependant splendide. Elle était lumineuse, richement décorée, on pourrait voir toutes sortes d'objets d'art. Les portes et les fenêtres étaient en style moderne, les murs étaient tout simplement peints de blanc. Les plafonds étaient assez hauts.

Les murs étaient couverts par des tableaux d'une grande valeur et la maison contenait des meubles rustiques, des sculptures et des figurines de collection.

— Oh, quelle jolie maison ! lançait Mohamed Lemine lui-même en chair et en os avec un sourire narquois. Aussitôt, tout le monde se mit à rire. Les amis, détendez-vous, ici c'est chez vous. Nous avons galéré ensemble et aujourd'hui tout ce que j'ai c'est pour nous tous. Je n'aime pas vous voir en air intrigue. Je sens au fond de moi-même que vous n'êtes pas à l'aise. Il se peut que l'occident vous ait métamorphosé. Mais Kolo et Bilal vous, vous n'étiez pas loin de moi. Il est temps que nous discutions de notre fameuse promesse de 11 ans durant. Mais vous avez l'air d'être des étrangers alors que vous avez déjà fait au moins une semaine dans le pays. Mon père me disait : « Mon fils, traite ton invité en hôte pendant deux jours et le troisième jour, donne-lui la houe. » Vous avez déjà dépassé le délai de trois jours dans notre pays. Donc il est temps que je vous donne la houe pour que vous commenciez du travail. Le travail qui va non seulement changer votre vie, mais aussi le pays entier. En un mot, mes amis, je vous donne ma parole, d'ici la semaine prochaine Inch'Allah, vous aurez tous du travail, pas n'importe lequel, mais celui qui sera équivalent à votre diplôme. Après que Mohamed Lemine ait lâché cette phrase, ses amis se regardèrent avec un air d'assurance et Bouba Keita a pris la parole.

— Mon cher ami, si je trouve le travail d'ici la semaine prochaine, comme tu viens de nous promettre, je te serai reconnaissant jusqu'à la fin de ma vie. Tu sais, l'université dans laquelle j'ai fréquenté durant toutes ces années est l'une des plus convoitées au monde, mais aussi l'une des plus coûteuses de la planète. En effet, pour que je puisse m'inscrire et poursuivre mes études là-bas, j'ai été contraint de contracter une dette auprès d'une entreprise américaine. J'avais même promis de travailler dans cette entreprise après mes études durant quelques années, afin de rembourser leur dette. À la fin de mes études supérieures, j'avais même commencé de travailler dans cette entreprise. Comme nous nous sommes donné rendez-vous de retourner 11 ans après le Bac dans notre pays pour changer les choses, c'est exactement ce que je fais. Quand je commencerai à travailler ici, je dois automatiquement continuer de rembourser leur argent, car je ne veux pas mourir avec leur dette.

J'ai déjà remboursé 61 %. Il me suffit de travailler quelques années pour m'en finir avec cette fameuse entreprise.

— Mon frère Alhamdulillah, je suis suffisamment riche. Je roule sur l'or aujourd'hui. Tout d'abord, il y aura plusieurs concours dans une semaine dans notre pays. Je vous demande de me faire aujourd'hui même, les photocopies de vos diplômes ainsi que de vos documents d'état civil. Je vous communiquerai plus tard le lieu que vous allez déposer vos dossiers demain matin Inch'Allah. Je ne souhaite pas vos échecs ; mais même si vous perdez ce concours, ce n'est pas grave, vous serez automatiques embouchés dans mes propres entreprises. Il y a déjà 7 places vacantes qui correspondent avec vos diplômes.

— Nous comptons sur toi mon frère. Moi, Kolo, je sais qu'avec le temps l'Homme peut changer, mais j'ai confiance en toi, car on se connaît, il y a plus de 17 ans, donc 17 ans déjà c'est énorme. Je me rappelle bien même quand je suis allé en Tunisie, tu m'appelais souvent et tu m'envoyais même de l'argent. En outre, tu m'avais toujours dit de ne jamais dire ça à quelqu'un. Mais nous les Soninko, nous ne sommes pas des ingrats, si une personne nous fait quelque chose de bien on préfère dire ça quand elle est vivante contrairement à certaines ethnies qui attendent que la personne soit décédée pour parler de son bienfait, mais chez nous on trouve cela trop obsolète. Ainsi mon père disait « vaut mieux faire l'éloge sur une mauvaise personne de son vivant que de la glorifier le jour de sa mort ». Quand on glorifie une personne vivante, quel que soit son comportement, elle pourra changer un jour, mais flatter un défunt méchant c'est de l'hypocrisie pointue…

— C'est exact, Kolo, confirma Bilal. Mon cher ami, dans notre communauté, on ne chante que les noms des morts comme « il était le plus actif de sa tribu » ou encore « cette personne était la plus généreuse de sa région ». Je me demande souvent en quoi, il est utile de faire croire à tout le monde que telle ou telle personne était comme ça si tout le monde la connaissait profondément de son vivant ? Si vraiment aujourd'hui notre groupe social est toujours à la traîne par rapport aux autres ethnies, mauritaniennes, c'est justement parce que l'hypocrisie est l'énergie sur laquelle notre groupe social est alimenté.

Chez nous, si une personne possède quelques billets de banque, tout ce qui sort dans sa bouche est exact. Même s'il est le plus petit de la famille, il devient automatiquement « le plus grand de la famille ». Il pourra envoyer facilement son grand frère comme il désire, il a également la légitimité de prendre une décision quelconque sans avis des autres. Il devient en d'autres termes en lion rugissant. En politique, c'est grave ! Durant les compagnes législatives, et municipales, régionales ou présidentielles, on voit les vieux de sexagénaire qui s'accroupissent devant leurs « petits fils » pour les ovationner. Une fois que ce petit occupe un haut poste, tout le monde l'appellera « Rais ». Mais le jour que ce même roitelet perd son poste, ceux qu'ils l'ont appelé « Rais » hier l'appelleront hée demain. Hahaha !

Ensuite chez nous il y a tellement de la déperdition scolaire. On voit tellement des jeunes de 13 ans qui abandonnent l'école pour être de docker. Quel gâchis ! D'autres désirent d'être autour du thé, discuté de tout et de rien pendant que les jeunes des autres horizons se préoccupent pour inventer de nouveaux outils technologiques. Bizarrement, chez nous en pleine discussion si l'on prononce le mot Mauritanie, c'est une goutte d'eau qui va déborder le vase. Tout le monde sait critiquer la Mauritanie, mais personne n'est prêt à proposer des solutions pour aider le pays de sortir dans la stagnation politique, sociale, économique et même culturelle qu'elle fait face. Alors en réalité aucun pays de ce monde ne peut se développer seul sans la participation active de sa jeunesse. Mais penser à développer le pays autour du thé n'est qu'une insulte à la nation. Mon plus grand souci porte sur mon groupe social, même si certains disent que nous sommes Beidanes. À mon titre de personne, je considère que je suis de l'ethnie haratine. Dans ce pays, nous sommes les plus nombreux, mais également les plus arriérés sur tous les plans, mais aussi dans tout le domaine. Nos jeunes ne veulent pas aller à l'école, ils préfèrent vivre au jour le jour. C'est pour cela, on a plus de mendiants que les autres ethnies. En Mauritanie, nous sommes la seule ethnie, que si on gagne un peu d'argent, on arrête de travailler jusqu'à ce que ça termine pour aller recommencer à zéro. Dommage ! Et cela doit vraiment cesser, car nous méritons aussi de vivre dignement.

Personnellement, je ne mets pas toutes les accusations sur la tête du gouvernement mauritanien, nous avons aussi notre part de responsabilité. Nos leaders doivent sensibiliser notre communauté.

C'était par la dernière phrase de Bilal Ould Bilal que les amis de richissime Mohamed Lemine rentrèrent avec joie chez eux, car ils étaient tous optimistes de décrocher un emploi dans quelques jours. Juste à la sortie de chez ce dernier, certains de ses amis avaient déjà annoncé la bonne nouvelle à leur proche. Ainsi pour clôturer leur journée en beauté, Cheikh Diop l'incontournable galvaniseur du groupe invita ses amis dans la foulée dans le restaurant le plus chic de Nouakchott et sûrement de Mauritanie. PLACIO est un restaurant pas comme les autres. Il répond aux normes de tous les restaurants internationaux. C'était d'ailleurs la raison pour laquelle Bouba Keita lui qui connaît des jolis restaurants aux États-Unis était resté figer devant la beauté de ce splendide restaurant.

— Incroyable ! dit-il.

Il développa :

— Du jamais vu en Mauritanie, un restaurant avec ce modèle de construction très novateur, la luminosité digne de la ville de Las Vegas. J'apprécie vraiment la manière dont les rigolos taquinent les clients. En un mot, c'est vraiment un restaurant XXL. Cheikh Diop, je prie pour toi pour qu'Allah te donne une entreprise comme celle-ci un jour.

— Amine, mon frère, mais j'aurais préféré que tu fasses tes invocations pour nous tous que pour moi seul. Car, si je deviens riche un jour et si vous restez pauvres, cela ne va pas me plaire.

— Mais tu pourras nous intégrer dans ton entreprise.

— Ce serait avec plaisir, mon frère, et je demande à chaque prière que Dieu donne à chacun de nous ce qu'il souhaite, mais à condition que la chose souhaitée soit licite et légale.

— Mangez, les gars, sinon vos plats vont refroidir, dit Kolo Koulibaly.

C'était dans la nuit de dimanche à lundi du mois de janvier que les jeunes diplômés de la Mauritanie se dirigeaient tout droit vers l'École Normale d'Administration de Nouakchott. Il y avait un bain de foule impressionnant à l'ÉNA. On dirait que c'était tout Nouakchott qui était là-bas. C'était vraiment une scène surréaliste ; des jeunes de toutes ethnies de Mauritanie ainsi que leurs parents étaient entassés les uns contre les autres comme les avalanches de neige. Ces derniers et leurs parents avaient tous des visages qui ne pouvaient pas éprouver de la joie. Autrement dit, leurs regards étaient tous moroses. On lisait également la fatigue sur leurs visages. Certains étaient totalement exténués et le sol était devenu leur ami intime. Ils couchaient comme, ils pouvaient. Quand même, beaucoup de groupes de jeunes gens employaient le mot courage pour soulager un peu leur soirée pathétique, voire abracadabrantesque. D'autres jeunes avaient opté pour la prière intense afin de tromper l'épuisement. Bien qu'il ait la rafale de vent d'hiver qui frappait les familles présentes, les mamans, symboles de la maternité étaient en place pour soutenir leurs fils ou filles. De l'autre côté de la cour, il y avait des jeunes qui se disputaient sur le problème de la numérotation. Chacun voulait être le numéro 1. À côté de ceux qui se chamaillaient pour la numérotation, il y avait également tous les jeunes du groupe « Cadres de demain », sauf un, le richissime Mohamed Lemine.

Par contre, la jeunesse mauritanienne diplômée, qui était là-bas, n'était pas pour décrocher automatiquement un emploi, mais plutôt pour déposer uniquement leurs dossiers pour un concours. Toutefois, déposer les dossiers n'était pas synonyme de la réussite du concours. Loin s'en faut, réussir le concours de l'ÉNA était une mission quasi impossible pour la jeunesse noire de ce pays. Mais pour la communauté Beidane s'était moins facile, car on disait ici, il suffisait d'avoir un bras long. En tout cas, il y avait une foule humaine impressionnante en dehors et en intérieur de cet établissement. La cause principale de cette marée humaine devant l'ÉNA était l'incapacité des dirigeants mauritaniens qui se sont succédé depuis les indépendances jusqu'aujourd'hui d'adopter une politique claire de la création d'emploi. Malheureusement, la plupart ont pensé de s'enrichir au lieu d'enrichir le pays.

Du coup, les écoles et les universités, au lieu de devenir des temples de savoir, sont devenues des garderies de la jeunesse du pays, mais aussi de véritables entreprises de stockeurs des jeunes. Comme nos universités ne faisaient que produire des chômeurs, c'était pour cela que ces jeunes aussi ont décidé de tenter leur chance pour quitter le monde obscur des chômeurs. Un monde dans lequel la maman, le papa et les autres membres de la famille te tournent le dos. Un monde de désespoir et de l'inquiétude. Un monde de choix difficile. Un monde de traumatisme et de suicide. Cependant, les faces cachées de ce précieux concours étaient étonnamment bizarres, car la plupart de jeunes qui déposaient leurs candidatures seront déçus après les résultats. Comme les Mauritaniens savaient le faire et personne ne pourrait dire le contraire, il y a déjà les enfants de quelques généraux de l'armée, colonels, ministres... qui étaient déjà admis sans même faire ce fameux concours. 80 % de jeunes qui s'étaient présentés pour ce concours, soit ils étaient pauvres soit ils étaient loyaux et dignes, car comme on dit ici, les vrais Mauritaniens n'ont même pas besoin de se présenter pour qu'ils soient admis dans ce concours.

Ceux qui attendaient de payer un lourd tribut à cause de couleur de leur peau, c'était sans doute les noirs : les Négro-Africains de Mauritanie ainsi que les haratins. D'ailleurs, c'était la raison pour laquelle certains jeunes issus des communautés noires du pays avaient déjà jeté l'éponge et d'autres avaient même pris la route périlleuse de l'immigration clandestine vers les États-Unis ou l'Europe, car psychologiquement, ils ne se voyaient pas Mauritaniens authentiques bien qu'ils aient fait des hautes d'études.

— À mon avis, si nous souffrons aujourd'hui dans notre propre pays alors que toute la population de ce pays n'atteint même pas 5 millions d'habitants et tous les diplômés de ce pays n'atteignent même pas 150 mille personnes, c'est juste une désolation inqualifiable. En Mauritanie comme dans tous les autres pays africains qui ont été colonisés par la France ont tous une carence inexplicable dans la politique éducative. Cependant parmi tous les prés carrés français de l'Afrique, le plus nul c'est la Mauritanie. Nous ne connaissons ni français ni arabe. On ne fait que tâtonner avec plusieurs réformes éducatives pendant plusieurs années qui n'aboutissent à rien.

C'est choquant de voir nos enfants qui ont des diplômes supérieurs, mais ne pas savoir parler correctement le français ni l'arabe. Si je prends par exemple les pays comme la Côte d'Ivoire, le Burkina Faso et le Sénégal sont les pays colonisés par la France, mais qui sont en avance par rapport à nous sur le plan éducatif. Chez nous, on donne les places aux aveugles pour diriger les voyants. Triste !

C'est ainsi que mon professeur de français de Djoukha disait :
« La meilleure façon de détruire un pays est de substituer ceux qui
ont grandi dans la lumière à ceux qui ont vécu dans l'obscurité ». Je
pense bien que nos dirigeants ne font pas confiance à nos
intellectuels. Ils ne font que créer chaque année des diplômés
chômeurs, pour produire tant de générations ratées c'est dans cette
optique que mon prof d'histoire et la géographie toujours de Djoukha
disait « les universités mauritaniennes doivent produire les
chercheurs qui créeront des emplois et non les chercheurs
d'emploi ».

— Tu dis vrai, Kolo, dit Bouba Keita.

Et il enchaîna : « Personnellement, je pense que nos dirigeants
négligent considérablement l'éducation de notre pays pour protéger
jalousement leur fauteuil, car la meilleure façon d'assassiner son
peuple et de tuer l'enseignement. Et la meilleure manière de faire
taire les diplômés et de les bannir. C'est exactement ce que nos
dirigeants font. En nous négligeant, ils nous font croire que nous
sommes inutiles et pour la société et pour nos familles. Ils refusent
d'adopter une politique réelle pour la lutte contre le chômage, car
quoi qu'il en coûte ni leurs enfants, ni les membres de leurs familles
et ni les membres proches de leur tribu seront chômeurs. Les
chômeurs sont : nous les noirs et quelques Beidanes qui ne sont pas
issus de différentes tribus puissantes de ce pays. »

— Vrai, s'agita Ismaël Thiam.

Et il continua : « Nous aimons notre continent et nous avons un
amour indescriptible pour notre cher pays. En effet, si nous n'avions
pas le sentiment de patriotisme, nous aurions pu rester dans le pays
où nous avions été formés. Même avant de retourner au bercail,
beaucoup de nos amis nous ont conseillé de ne pas rentrer. Certains
parmi eux nous ont même proposé des contrats du travail trop juteux
à l'occident.

Cependant, l'amour de notre pays que nous portions dans notre
cœur était si fort que toutes les opportunités que nous avions eues là-
bas. À mon titre personnel, le jour où j'avais dit à mon boss que je

devrais rentrer en Mauritanie pour tenter ma chance dans le monde du travail, il m'avait traité de fou, car j'ai gagné bien ma vie là-bas. En d'autres mots, j'ai touché 4500 dollars canadiens, soit plus de 100 000 MRU. Certainement d'autres parmi nous gagnaient plus que moi. Mais nous avions tous décidé de laisser toutes les opportunités que nous avions eues pour venir développer notre Mauritanie, car si on part à l'école c'est pour apprendre. Et si on apprend, c'est pour servir sa nation et c'est textuellement ce que nous sommes en train de le faire. Mes chers amis, tout ce que je peux vous dire est que nous devons être combatifs. Il faut qu'on montre aux étudiants mauritaniens qui ont fait leur cursus scolaire ici que ce n'est pas pour rien que nous avions quitté ce pays. Travaillons bien, attachons nos ceintures, c'est tout Mauritanie qui nous regarde. Nous sommes des intellectuels sur le papier et personne ne peut dire autrement. Mais prouvons en pratique que nous y sommes vraiment. »

— Le dépôt a commencé, Monsieur le Ministre de la Communication.

— Arrête de me taquiner, Bouba Keita !

— Monsieur, viens par là ! dit un agent qui était chargé d'enregistrer les dossiers des candidats au concours. Votre dossier, s'il vous plaît !

— Tenez, Monsieur.

Êtes-vous natif de Kiffa ?

Oui, Monsieur.

Votre père c'est bien Monsieur Abdraham Ould Yahya, ancien préfet de Nema ?

— C'est exact, Monsieur.

— Inutile de regarder vos dossiers, ils sont déjà validés. Et passez une bonne journée. Le suivant, dépêche-toi ! As-tu froid, Monsieur ?

Oui, trop même.

— Tes dossiers. Waw ! C'est impressionnant, vous avez eu votre doctorant à Institute of Technology of Massachusetts aux États-Unis. Mon ultime rêve était d'étudier dans cette université phénoménale, mais le destin m'avait choisi autre chose. J'ai fait le Bac à cinq reprises, je n'ai pas eu, mais me voilà occupant aujourd'hui un poste assez important, donc je ne me plains pas. Chacun a sa manière de réussir dans la vie. Mais je ne regrette pas d'avoir échoué plusieurs fois au Bac, car je gère correctement mon quotidien. C'est l'essentiel, car il y a beaucoup de gens qui ont de gros diplômes dans ce pays, mais ils n'ont pas du travail fixe, d'autres n'en trouvent même pas un emploi non permanent. Revenons maintenant sur notre travail. En effet, Monsieur Keita, vos dossiers prouvent largement que vous étiez un brillant étudiant et d'ailleurs j'ai un enfant qui fait la terminale cette année, j'aimerais qu'il soit non seulement comme toi sur le plan intellectuel, mais aussi qu'il aille fréquenter la même université que tu avais fréquentée. Néanmoins, Monsieur Keita, nous avons un sérieux problème avec tes dossiers administratifs de Mauritanie tout d'abord, ce concours est destiné uniquement aux diplômés mauritaniens, mais toi tu n'es malheureusement pas Mauritanien.

— Que racontez-vous, Monsieur ? Je ne vous suis vraiment pas. Pourriez-vous me répéter littéralement ce que vous venez de dire maintenant ?

— Je viens de dire que ce concours n'est dédié qu'aux diplômés mauritaniens, mais toi tu es bien Mauritanien sur le papier, mais généalogiquement parlant tu ne l'es pas.

— Je ne comprends toujours pas bien ce que vous me reprochiez exactement. Vous, vous voulez me dire que mes dossiers d'état civil sont-ils falsifiés ?

— Non, Monsieur, vos dossiers sont originaux et authentiques. Mais je veux dire, je sais que tu possèdes tous les documents mauritaniens, mais la question que je te pose maintenant est la suivante : comment as-tu pu obtenir des documents de l'état civil mauritanien ?

— Monsieur, si je suis là ce matin, c'est pour déposer mes dossiers et non pour prouver ma mauritanité de souche. J'ai tellement sommeil, Monsieur, car j'ai passé une nuit blanche ici avec mes amis. Je suis pressé de déposer mes dossiers pour aller dormir chez moi. Et pourtant, vous avez ma pièce d'identité dans votre main droite et ma nationalité dans votre main gauche. Que puis-je faire de plus ? Je pense que vous avez toutes les preuves matérielles qui prouvent ma mauritanité.

— Jeune homme, bien que tu possèdes des dossiers mauritaniens, mais le nom de famille Keita n'est malheureusement pas Mauritanien. Voilà la vérité. Notre travail consiste à enregistrer que des Mauritaniens sur la liste des candidats du concours et non les étrangers. Toutefois, si un dossier dépasse ma compétence, je fais appel au Directeur des Ressources humaines.

Mon but ce n'est pas de bloquer les Mauritaniens à faire le concours, mais c'est plutôt de sélectionner que de vrais Mauritaniens vis-à-vis des non-Mauritaniens. Je sais que notre jeunesse souffre du chômage donc c'est insensé de ma part de ne pas les accepter au concours. Je connais parfaitement la communauté noire de la Mauritanie, je connais par cœur tous les noms des familles de Soninko, de Peuls et de Wolofs. Mais Keita mauritanien, jamais dans ma vie j'ai entendu ça, ici en Mauritanie. Mais je sais également qu'il y a des Keita Maliens, Guinéens et même Sénégalais qui sont ici, dans notre pays, dans le cadre du travail. En d'autres termes, Keita peut être un étranger vivant sur notre sol comme Ouédraogo ou autre nom de famille. Mais jamais un Mauritanien de souche.

Qu'est-ce qui se passe ici ? demanda Sidi Dah, le Directeur des Ressources humaines de l'ÉNA.

— Monsieur le Directeur, c'est votre agent qui vient d'annoncer à ma grande surprise que je ne suis pas un Mauritanien.

— Attends, je dois vérifier méticuleusement tes dossiers « Mon fils ».

Mon fils, le nom de famille Koita est Mauritanien, mais Keita n'est pas Mauritanien et je suis désolé pour toi.

— Monsieur le Directeur, avec votre permission si vous voulez me connaître, accordez-moi quelques minutes de parole.

— OK, je t'écoute, mon fils.

Merci, je m'appelle Bouba Keita, je suis d'Adrar plus particulièrement dans la ville d'Atar. Croire qu'en Mauritanie il n'y a pas les familles Keita, c'est une faute impardonnable surtout pour une personne de votre rang. Dans notre pays, il y a plusieurs localités où il y a des familles Keita, parmi lesquelles je peux citer : Sélibabi, Rosso, Arr, Diaguily, Hassi Cheggar, Ghabou, Baydjam, Samba Kandji, Diogountoro, Atar, la liste est longue…

Et pour votre information, moi je suis de l'ethnie d'origine bambara. Mon grand-père fut installé en Mauritanie dans les années 30 et mon père fut né une décennie avant notre indépendance dans la ville d'Atar.

Autrement dit, ce pays a été baptisé devant mon grand-père et mon père donc pourquoi voulez-vous me faire un métèque ?

— Merci, Monsieur Keita, de nous avoir donné raison. Tu viens de me dire que tu es bambara et le pays de bambara, c'est le Mali et cela est connu de tous. Et puis la constitution mauritanienne ne reconnaît pas l'ethnie bambara comme faisant partie de celles du pays. Par conséquent, tu ne pourras plus déposer tes dossiers ici et je suis navré pour toi, je te souhaite bonne chance. Prends 200 MRU pour le taxi.

Bouba Keita a été meurtri de vivre cette discrimination à caractère ethnique. Il pleura comme, un bébé que sa mère lui refuse de l'allaiter pendant un bon moment. Il commença à songer aux opportunités qu'il avait eues aux États-Unis. Il commença à penser comment, il allait payer le reste des dettes auprès de l'entreprise qui avait financé la totalité de frais de ses études universitaires. Il se sentait étranger dans son propre et unique pays qui lui a vu grandir. Il se sentait piégé par son pays. Des milliers de pensées se bousculeraient dans sa tête. En un mot, il était totalement perdu. Malgré la brillante carrière académique qu'il avait faite, il se voyait allogène pas dans le pays où il avait appris, mais dans le pays où il était né et grandi. La situation à laquelle il faisait face le dépassait complètement. Bilal Ould Bilal consola longuement son ami. Et lui avait été enregistré sans complication. Mais il avait quand même un regard sans éclat, car les dossiers de son ami avaient été refusés sans raison valable. Ce fut le tour de Cheikh Diop.

Ses dossiers avaient été refusés aussi par le comité chargé d'enregistrement des dossiers des candidats. L'un des personnels lui avait fait savoir qu'il devrait déposer ses dossiers à l'ÉNA du Sénégal, car toutes les familles Diop étaient de vrais Sénégalais, mais de faux Mauritaniens. Contrairement à Bouba Keita, ce dernier n'avait montré aucun signe de contestation. Il céda gentiment sa place à celui qui lui suivait. Les dossiers de Kolo Koulibaly furent également refusés, mais pas dans le même motif.

L'alibi que le Directeur des Ressources humaines eut trouvé pour lui assassiner administrativement fut que la photocopie de sa pièce d'identité n'était pas claire. Ce qui était totalement absurde dans le cas de Kolo Koulibaly, c'est que juste avant lui un Beidane avait déposé ses dossiers sans même la photocopie de sa pièce d'identité. C'est étonnant, mais vrai !

C'était cela les faces cachées de la Mauritanie que beaucoup de gens ignorent : « épuration ethno administrative » ! Empêcher les Négro-Africains de déposer leurs dossiers pour des raisons non évidentes pour les nettoyer méticuleusement de leur administration. Ismaël Thiam quant à lui parvenait à déposer ses dossiers après plusieurs minutes des tractations avec Monsieur Sidi Dah, le Directeur des Ressources humaines.

Après cette journée raide, les amis de Mohamed Lemine l'appelèrent. Ce dernier fut abattu d'apprendre cette triste nouvelle. Celui-ci demanda à Bouba Keita et à Cheikh Diop de venir déposer leurs dossiers à la banque centrale dès demain parce qu'il y avait plusieurs postes stratégiques vacants.

Le lendemain, Bouba Keita, se réveilla plus tôt que la coutume. Il prit son bain, pria, et prit la route de la maison de Cheikh Diop. Arrivant chez son ami, ils prirent le petit déjeuner puis, ils prirent le taxi au garage Guidimakha de Couva, direction le carrefour de la BMD. Ils prirent le deuxième taxi juste devant la BNM. Ils continuèrent tout droit jusqu'au siège central de la BMCI ; ils virèrent à gauche et hop, ils arrivèrent au siège. Arrivant dans la salle d'attente, Cheikh Diop fut pénétré dans le bureau. Après quelques minutes de l'entretien de routine, il sortit avec un air triomphant. Bouba Keita rentra, anxieusement dans le bureau à son tour. Heureusement, ses dossiers aussi ont été pris sans altercation.

De l'autre côté, les résultats du concours de l'ÉNA étaient tombés. Ismaël Thiam était admis ; selon l'ordre de mérite, il était le deuxième de la Mauritanie. Il était heureux pour faire son entrée dans cette fameuse école des élites mauritaniennes. Il n'avait pas tardé à appeler ses amis du Canada pour leur faire part de cette bonne nouvelle. La première personne qu'il avait appelée fut Janette. Cette généreuse fille était le bras droit de celui-ci. Thiam travaillait dans l'entreprise de son père. Cette fille avait fait tout ce qui était humainement possible pour qu'il signe un CDI dans l'entreprise de son père ; mais il avait refusé gentiment, car il était déterminé de retourner dans son pays d'origine pour y travailler. En outre, le futur élève de l'ÉNA invita ses amis au restaurant PRINCE de Nouakchott. La soirée a été magnifique, car ce jour-là le restaurant PRINCE a été mis entièrement à leur disposition. En une heure seulement de belle vie, Thiam avait dépensé à lui tout seul 15 000 MRU.

Lorsque Kolo lui avait dit que c'était trop, il répondit avec un ton mystérieux « je récupérerai cette petite somme dans 3 ans, en un seul mois de mon salaire, je suis déjà boss frangin, profitons-en ». Une semaine après son admission, Ismaël Thiam fut allé à sa nouvelle école pour finaliser la formalité administrative des admis de routine comme : présenter sa nationalité, quatre photos d'identité récente, casier judiciaire récent, un engagement attestant que l'admis n'occupait aucun emploi public… Arrivant dans le bureau du DRH, il assit et attendit son tour. Quand son tour arriva, il s'éleva, avança vers le Directeur. Ce dernier lui demanda d'attendre que tout le monde ait passé d'abord. Le futur cadre s'étonnant, et dit : « Monsieur le Directeur, je suis la troisième personne à mettre mes pieds dans votre bureau. Mais je ne comprends pas pourquoi mon tour n'arrive toujours pas. »

— C'est vrai, jeune homme, on a un petit problème avec vous. Vous avez pratiquement rien fait, attendez que je finisse avec tes camarades d'abord !

— Dites-le-moi s'il vous plaît, monsieur, j'ai peur !

Ismaël fut inquiété. Il décida de s'asseoir par terre et mit sa tête entre ses jambes. Il commença à penser, à réfléchir, à méditer, à songer de tout et sur tout. Son stress augmentait chaque minute qui coulait. Ce qu'il ne comprenait pas c'était l'attitude complexe de son Directeur ; de fois il attendait 4 à 5 minutes les autres élèves pour finaliser leurs dossiers alors qu'il ne le regardait même pas, lui qui était dans son bureau depuis longtemps. Thiam commença à hausser le ton contre son directeur. Celui-ci demanda aux autres élèves de rentrer chez eux et de venir demain. Il ferma hermétiquement les fenêtrées et la porte de son bureau. Il tira des listes des admis dans son tiroir. Tout cela se passait sous le regard impuissant d'ancien élève de Djoukha, puis il commença de parler avec un ton courtois et amical : mon enfant, écoute-moi bien ! Tout d'abord, je m'excuse de prendre tout ton temps et pour ton information, le travail que je fais aujourd'hui n'est pas le mien. J'avais dit à mes agents de me laisser m'en occuper parce qu'i l'y a un problème. Je pense quand même, quand je t'aurai expliqué, tu me comprendras. En réalité, ce n'est pas une bonne nouvelle pour toi. Mais c'est une triste réalité que nous connaissons tous, car en Mauritanie on fait souvent c'est qu'il devrait être et non c'est qu'il est. S'il vous plaît, Monsieur, dites-moi ce qui ne va pas, je suis en train de mourir de la peur.

— Dans les minutes qui suivent, tu sauras de quoi je parle, mon enfant.

— Sois patient.

Je continue :

— En effet, tu es admis officiellement et personne ne pourra te dire le contraire. Voilà les listes de tous les admis ! Tu es le dixième du concours de l'ÉNA de cette année. Toutes mes félicitations ! Cependant votre place a été prise par la fille d'un haut gradé de l'armée, en d'autres mots par un cousin un peu éloigné du président de la République. Comme cet homme a été gentil, il t'a donné 20 000 MRU pour que tu te débrouilles. Voilà la somme, prends-la !

— Monsieur le Directeur, j'ai juste envie de vous poser une question.

— OK, vas-y.

— Merci, si vous étiez à ma place comment réagiriez-vous ?

— Je serai triste.

— C'est le seul vocabulaire que vous avez trouvé pour qualifier cet acte hautement raciste et discriminatoire. Désolé du terme, franchement vous êtes sans cœur Monsieur le Directeur.

Comment avez-vous eu le courage de m'expliquer cet acte abject avec la tranquillité remarquable ? Je sais que je suis aujourd'hui comme une mouche sur la queue de l'éléphant devant vous. Je sais que je suis devant vous comme un soldat face à son général. Je sais que je suis aujourd'hui comme un mauvais élève face à son professeur. Je sais que je suis aujourd'hui devant vous comme une personne non utile à la société. Et je sais que je suis aujourd'hui devant vous comme un néant. Cependant, demain seul Dieu sait ce qui va se passer. Depuis longtemps, j'ai toujours su qu'en Mauritanie il y a de la discrimination à tous les échelons de l'appareil étatique. J'ai toujours cru que les puissants massacraient intellectuellement les faibles qu'en cachette, et non en visage découvert. Arracher la place d'un pauvre type comme moi, et de me le dire ouvertement tout en me proposant de l'argent. C'est un acte hautement exceptionnel et extraordinaire. Vous êtes vraiment des hommes puissants. Votre hégémonie sur les noirs de ce pays est indiscutable. Ce pays c'est pour vous. Oui, c'est pour vous seuls, car seuls ceux à qui le pays appartient peuvent faire ce que votre parent vient de me le faire. Comme vous venez de dire, je cite un haut gradé de l'armée. Cet homme qui est fort et vigoureux aujourd'hui ne pense-t-il pas que demain il pourrait devenir faible ? Cet officier supérieur de l'armée qui a volé ma place oublie que le pouvoir est quelque chose d'éphémère. Le parent du président de notre pays, ne pense-t-il pas que demain, il pourrait répondre de ses actes soit devant les hommes soit devant Dieu ? Ce haut gradé n'a jamais entendu parler de l'histoire de l'empereur Jean Bedel Bokassa, de l'ex-empire centrafricain. Je suis convaincu que vous êtes vraiment fort. Mais votre domination pourrait durer encore longtemps, toutefois jamais, elle sera perpétuelle. Ce n'est pas en marginalisant les noirs que vous devriez construire une Mauritanie unie et forte. Avec vos doctrines utopiques et révisionnistes basées sur le racisme, vous pouvez bien bâtir une Mauritanie séparée et vulnérable. Sachez que tout pays qui est battu par le racisme s'écroulera tôt ou tard comme un château de cartes, si les dominants ne pensent pas aux dominés.

Monsieur, vous savez très bien que la discrimination, l'injustice envers une communauté ne fera qu'engendrer la haine entre les forts et les faibles, et cette haine pourrait être héritée par plusieurs générations, c'est ainsi, mon prof de français disait que « celui qui cultive la paix récoltera le bonheur et celui qui cultive l'injustice récoltera la haine ». Pensez-vous que la domination de la suprématie blanche continuera perpétuellement dans ce pays ? Votre domination peut être certes durable, mais jamais éternelle, car l'histoire nous a toujours prouvé que chaque domination a une fin. Vous pouvez tromper notre génération, mais vous ne pourrez jamais tromper toutes les générations à venir. C'est plus facile de tromper une personne que de tromper tout un peuplé c'est ainsi qu'ancien président américain Abraham Lincoln disait « on peut tromper une partie du peuple tout le temps et tout le peuple une partie du temps, mais on ne peut pas tromper tout le peuplé tout le temps ». C'est à cause de gens comme vous que notre pays n'avance pas, vous en avez fait des postes gouvernementaux à des entreprises privées.

Vous dirigez la Mauritanie comme un faux chef du village dirige son village. Les postes clés du pays sont attribués par la considération clanique, tribale ou régionale. Ensuite, celui qui veut me faire substituer illégalement en faveur de sa fille pense que je prendrai l'argent sale qu'il m'a donné. La famille dans laquelle je suis né et j'ai grandi est pétrie de bonnes valeurs. Donc mon éducation ne me permet même pas de toucher cet argent des pauvres contribuables a fortiori que de le prendre. Je suis au chômage et je préfère mourir de faim et de soif plutôt que de toucher à cet argent illégal et illégitime ; mon grand-père ne me disait-il pas « qu'il est préférable de mourir pauvre avec son honneur, que de mourir riche avec le déshonneur » ? Dis-lui que s'il n'a pas honte de confisquer ma place pour sa fille incompétente, moi aussi je n'aurai pas honte de lui manquer du respect, car celui qui veut qu'un enfant lui respect, va commencer d'abord à se respecter et respecter ce dernier. Vous avez opté pour la discrimination en vue de développer de la Mauritanie. Alors que vous savez très bien que la domination à caractère racial est une bombe à retardement pour le pays. Avec la politique de terreur basée sur la discrimination, on peut bien diriger un pays, mais pas dans la paix durable, car pour qu'il ait la paix durable, il faut qu'il ait d'abord la justice sociale pour tous. Mais sans cela, il y aura jamais la paix durable, c'est ainsi mon professeur de droit constitutionnel disait que « toute paix qui est battue par la discrimination est une paix à court terme ». Enfin, ce qui m'énerve le plus c'est que si les noirs disent ce qu'ils en pensent de la Mauritanie, vous dites qu'ils veulent détruire ce pays. Alors que nous les noirs, nous ne parlons que de ce que nous subissons dans ce pays. Je suis musulman, je crois en Allah, je lui laisse mon destin, car il me connaît mieux que moi-même et rien ne pourra m'arriver si ce n'est que sa volonté.

— Hée petit, je t'ai donné beaucoup de temps pour parler sans t'interrompre. Mais tu oses me parler de l'islam. Depuis quand un Kori pratique l'islam. Nous les Beidanes depuis notre tendre enfance, nos parents nous mettent à l'école coranique pour mémoriser le coran et après quelques années, on fréquente l'école française, donc on connaît tout. C'est pour cela que la Mauritanie nous appartient. Vous ne connaissez que du français c'est pourquoi vous êtes bloqué partout dans le concours. En Mauritanie, presque chaque concours, même si c'est entièrement en français, on ajoute une matière d'arabe pour vous bloquer volontairement. Et cela continuera aussi longtemps que possible, car le jour où vous serez nombreux dans nos administrations, vous transformerez la Mauritanie en un véritable pays francophone. Et vous ferez de la Mauritanie en un département français. C'est pourquoi nous les blancs de Mauritanie et vous les noirs de ce pays, on peut négocier sur tout sauf notre langue : arabe. Cette langue est non seulement notre arme pour vous massacrer administrativement, elle est aussi le symbole de notre domination religieuse, culturelle et linguistique. Sur le plan religieux, nous sommes tous de musulmans. Dieu merci, mais regarde les hauts représentants de l'islam de ce pays, regardes les imams de grandes mosquées de Mauritanie, et tu me diras s'il y a les noirs. Sur le plan culturel, nous ne partageons pas la même culture que vous, mais nous travaillons trop dur en colis pour vous assimiler, car les cultures négro-africaines n'ont pas de valeurs par apport à notre culture arabe. Dans les années à venir même les matières scientifiques seront étudiées entièrement et totalement en arabe et le français sera juste une langue de communication dans la rue entre vous les métèques et vos parents de l'Afrique subsaharienne. Quand ce moment arrivera, vous allez fuir ce pays sans qu'on vous chasse. Quand cette période arrivera, vous allez quitter les écoles sans qu'on vous le demande.

Vos enfants deviendront des illettrés, du coup certains seront sûrement les cireurs de chaussures qui cireront certainement nos chaussures. Et d'autres seront forcément des agresseurs qui vous agresseront tout le jour, parce que dans nos quartiers, les malfaiteurs ont peur d'y pénétrer, car ils savent que nous portions toujours un pistolet. Sur le plan linguistique, tu peux compter toi-même le nombre d'Arabes de Mauritanie qui parlent vos langues vernaculaires, j'allais dire, vos dialectes. Mais vous parlez pratiquement bien notre langue et d'ici quelques années vos dialectes seront devenus obsolètes.

— Monsieur, c'est le destin qui a fait que vous et nous partageons le même pays et la même religion. Monsieur, c'est le destin qui a fait que vous, vous avez la peau blanche et nous, la peau noire. Monsieur c'est le destin qui a fait que vous et nous ne parlons pas la même langue. Monsieur c'est le destin qui a fait que vous et nous ne partageons pas la même culture. Ces différenciations raciales, linguistiques et cultures auraient pu être un symbole de l'unité nationale basée sur la diversité et non un facteur de la divergence entre les uns et les autres comme disait mon grand-père « les différentes couleurs de la maison qui constitue sa beauté ». Au lieu de profiter de ces diversités culturelles pour en faire une richesse inestimable pour la future génération, vous, vous utilisez la vôtre pour camoufler la nôtre. Autrement dit, vous voulez que nous soyons coûte que coûte votre ombre.

— Hée, petit, nous ne vous considérons pas comme les étrangers, c'est vous-même qui vous considérez comme des étrangers dans ce pays. Vous ne regardez jamais les chaînes de télévisions mauritaniennes. Vous préférerez regarder des chaînes des télévisions sénégalaises, maliennes… À qui la faute ? Qui vous traite comme les étranges ? Mon fils, la Mauritanie est un pays où le droit de l'Homme est mieux respecté par rapport aux autres pays du monde. Je sais que tout n'est pas blanc dans ce pays. Mais un jour, les choses vont changer progressivement et tout le monde sera heureux. Notre but est de travailler pour le maintien de la paix et la stabilité dans ce pays. Nous voulons que la paix règne aussi longtemps que possible dans ce pays, car nous savons que sans la paix il ne peut pas y avoir et le développement politique et économique et social et religieux. Aly Ould Housseinou alias Khaimé Kébir, c'est mon nom, je suis le descendant de la tribu de Deboussatt. Dans les années précédentes, il y avait eu trop de pagaille dans toutes les institutions étatiques de notre pays ; cependant, nous travaillons dur pour instaurer la justice sociale, mais aussi pour améliorer considérablement la qualité de vie de nos citoyens.

— Monsieur le Directeur, écoutez, mon professeur de droit civil disait que « toute paix qui est fondée par l'hypocrisie de l'affichage des uns et de la suppression des autres est une paix saisonnière ». Vous venez de dire : « C'est nous-mêmes qui nous considérons comme étrangers. » Mais ce n'est pas nous qui nous considérons comme tels, c'est l'État mauritanien qui a décidé de nous supprimer sur le plan politique, économique, social, culturel et même religieux.

Comme il n'y a pas un traitement égalitaire entre vous et nous, comme le complexe de supériorité intellectuelle est trop vivace chez vous, vous avez décidé de vous accaparer tous les postes stratégiques du pays pour nous faire croire que vous êtes des intellos. Quelle étonnante tactique ! Dites-moi, dans tout le pays, s'il y a trois gouverneurs noirs. Dites-moi, s'il y a trois préfets noirs dans ce pays. Dites-moi, s'il vous plaît dans ce pays, s'il y a au moins un noir gouverneur d'une banque étatique. Les directeurs de ports, d'aéroports des sociétés minières et halieutiques, président de la fédération de football... sont tous Beidanes. Et en justice, il n'y a que vous, donc qu'allons-nous devenir au juste ? Dans toutes les chaînes des télévisions mauritaniennes, que ce soit privée ou gouvernementale, on ne parle que votre dialecte, on ne fait que transmettre votre culture. On accorde plus de 3 heures aux Soninko, Wolofs et Peuls, et les heures restantes, ce sont vos heures. Vous diffusez des émissions insensées qui reflètent tout de même votre réalité culturelle ; c'est pour cela que nous préférions regarder certaines chaînes des télévisions étrangères pour nous s'identifier aussi. Au revoir petit qu'Allah te donne un autre bon travail !

Thiam avait quitté l'ÉNA avec un air de désespoir. Il se dirigea quand même vers la 4e police de Nouakchott qui se situe à côté de l'ambassade de France pour déposer sa plainte contre les autorités administratives de cet établissement. Hélas, sa plainte a été rejetée sans appel.

Il avait utilisé tous les arguments rationnels pour convaincre le tout puissant commissaire de la police d'accepter sa plainte. Toutefois ce dernier lui avait fait savoir que, le Directeur des Ressources humaines de l'ÉNA était une figure de proue de sa tribu, donc son statut social était largement au-dessus d'une plainte venant d'un Mauritanien de la seconde zone. Par conséquent, accepter cette plainte contre lui allait non seulement ternir l'image de leur tribu, mais aussi l'image de sa famille vis-à-vis de celle-ci. C'est dans cette atmosphère de déception que cet ancien étudiant du Canada est allé voir son ami Bouba Keita.

Là encore c'était un coup de théâtre ! Bouba aussi était bien admis au concours de la banque centrale. Mais il a été lui aussi recalé par son meilleur ami. Ami avec lequel ils avaient grandi ensemble.

Ami avec lequel ils avaient décidé de changer la Mauritanie ensemble : Mohamed Lemine, celui qui est le Directeur des Ressources humaines de la banque centrale de Mauritanie.

Au cours du dernier entretien avec son camarade, il lui avait signifié qu'il pouvait déjà commencer à faire la fête. Car sans même son coup de pouce, c'était lui qui était le premier du concours ; il avait ajouté que c'était lui-même en personne qui donnait le feu vert et que c'était déjà fait. Par contre après l'entretien entre celui-ci, et l'ancien étudiant de l'université américaine, Bouba Keita lui-même avait entendu son ami en personne dire au gouverneur de la banque centrale qu'il n'était pas Mauritanien de souche et que le gouverneur devrait donner sa place à une fille de la tribu Daawali de Tidjikja. Autrement dit, celle de la tribu de sa mère. Quand Bouba eut fini de raconter sa journée embarrassante à son ami Thiam. Ce dernier aussi lui raconta son calvaire. Durant toutes leurs conversations, la mère de Bouba les écouter religieusement en catimini.

Quand les deux amis eurent fini de parler de leur sale journée, la mère de celui-ci regarda tristement les deux jeunes garçons, puis elle prit la parole : « mes enfants, la vie est tellement difficile pour les uns et trop facile pour les autres. Les épreuves que vous êtes en train de traverser sont trop douloureuses surtout pour des jeunes de votre âge. Je sais que c'est choquant de confisquer en une personne ce qui lui appartient.

Malheureusement, nous vivons dans un pays où le régionaliste, le favoritisme, le népotisme et le racisme dictent la vie politique, sociale, culturelle et même religieuse. Les Beidanes sont nos frères. Il y a certains parmi eux qui subissent la même injustice que nous. C'est pour cela que je ne peux pas mettre tout le monde dans le même sac. Je suis avec vous mes enfants et je vous soutiendrai jusqu'au bout, quel qu'en soit le prix. Je vous demande seulement d'avoir le cœur du pardon c'est important, car quel que soit ce qu'on vous fait dans la vie, une fois que vous pardonner tout, Allah vous aidera non seulement à franchir la situation dans laquelle vous êtes, mais aussi de vous ouvrir d'autres portes. En plus, je sais que vous êtes en colère, mais n'oubliez pas que si Dieu éprouve son serviteur, c'est pour que ce dernier se souvienne de lui. Donc toutes les épreuves qui vous touchent, si grandes soient telles demain, elles ne seront que de mauvais souvenirs. N'oubliez pas aussi que celui qui fait du mal à l'autrui fait du mal à lui-même. Je m'explique, il est impossible d'éviter le sentiment de la culpabilité si on fait quelque chose d'anormal en une personne. Autrement dit, les gens qui vous ont bloqué pour que vous n'accédiez pas à la fonction publique se sentent mal également dans leur for intérieur. Peut-être un jour, ils témoigneront leurs actes inadmissibles devant vous ou sans vous. Ne baissez jamais les bras, car là où il y a le courage, il y a l'espoir. Souvent c'est le moment que vous pensez tout perdre que vous réussissez. Dans la vie, il faut vraiment avoir la volonté d'aller en avant pour réussir, car ma tante disait : "la volonté est la mère du succès". Je vous demande de continuer toujours à rêver grand, c'est important, car sans de grands rêves vous ne pouvez pas aller si loin. Allez prendre votre bain, d'ici là je chaufferai votre repas. Que Dieu vous protège ! »

— Amin, maman !

Quand Nabintou Bakayoko finit de consoler et de conseiller son fils et son ami, elle pénétra dans sa cuisine pour chauffer le repas de ces derniers. Malheureusement, elle se plongea dans une longue méditation ; elle commença à songer de l'humiliation et du racisme que son grand-père ait subi sur le sol mauritanien ; sans oublier les injustices que subit son père tous les jours dans son lieu du travail. D'ailleurs, c'était à cause des humiliations quotidiennes actives et progressives que ce dernier avait quitté son travail.

Elle imaginait que c'était le tour de son propre fils qui était arrivé, et elle écrasa de larmes. Elle pleura longuement dans sa cuisine, puis lorsqu'elle attendit les pas de son fils, elle se tut net et fit rire jaune. Elle avait juste joué le rôle de la mère forte, en réalité, elle était enveloppée, voire emportée par le chagrin, la triste, la dépression et le souci. Bien qu'elle ait un visage aigre, elle avait voulu le cacher à son fils. Malheureusement, Bouba Keita a su que sa mère avait pleuré. Nabintou Bakayoko déposa leur repas et alla mélancoliquement dans sa chambre pour poursuivre sa méditation. De l'autre côté, son fils refusa de manger et pénétra rapidement dans sa chambre pour pleurer à son tour. Au même moment, ironie du sort, Ismaël Thiam quant à lui ne doutait de rien. Il dégustait jalousement le riz au poisson de Nabintou Bakayoko. Il mangeait même en chantant. Comme, il avait la faim du loup, lui tout seul a pu manger tout le plat. Puis, il a fait son thé calmement toujours en chantant les nouvelles chansons du dernier album du groupe Diam Min Tekky, intitulé « 30 ans ».

Quelques minutes plus tard, Ismaïl Thiam s'est souvenu de son ami et alla voir sa chambre, le trouva là-bas en train de ronfler. Il décida de ne pas le réveiller et il partit chez lui. C'était avec le ventre plein que Thiam sortit de chez son ami. Arrivant chez lui, il trouva son ami qui regardait le classico espagnol, le match du foot le plus regardé au monde. Ismaël Thiam, le plus grand supporteur du Real Madrid et de Cristiano Ronaldo, s'était assis pour regarder le match juste à la main gauche de son ami, Demba. Chaque fois que les joueurs de meringue touchaient le ballon à la surface de réparation barcelonaise, il criait comme un fou. Et quand l'équipe madrilène dominait l'équipe adverse, il avait des frissons. L'intensité du match avait fait oublier à Thiam la sale journée qu'il avait passée. C'était cela le pouvoir et la beauté du football. L'amour entre Real Madrid et Ismaël Thiam date de longtemps. Mais cet amour avait atteint son paroxysme avec le recrutement en 2009 d'un certain Cristiano Ronaldo, connu sous un acronyme R7, aujourd'hui meilleur buteur de tout le temps. À partir de 2009 jusqu'aujourd'hui en 2023, Thiam suit de près toute actualité de Cristiano Ronaldo. Il sait vraiment presque tout de lui : ses plats préférés, ses marques de voitures préférées, ses vêtements et ses habits préférés.

Et, il écrit dans son fameux agenda tous les buts que Ronaldo a manqués durant cette dernière décennie. Ce n'est pas tout, depuis 2009, il a regardé en direct ou indifféré, tous les matches de ce géant du foot mondial que ce soit aux clubs, aux coupes ou encore aux sélections nationales. Il possédait également une collection de maillots du génie portugais. La dernière fois, il avait promis à ses amis qu'il arrêterait définitivement de regarder le match le jour où son joueur prendra sa retraite nationale.

Chapitre 3

Après moult péripéties, Cheikh Diop qui était déjà fiancé avec une fille mauresque se préparait pour se marier. En effet, tout a commencé quand ils étaient trop jeunes, Cheikh Diop et Fatima Zahara avaient scellé leur union, quand ils faisaient la terminale dans une école appelée Djoukhamadja. C'était dans cet établissement scolaire qu'ils s'étaient rencontrés pour la première fois. Puis le courant avait vite passé. Ils entretenaient sans doute une relation idyllique. En un mot, ils étaient tout feu tout flamme. Depuis cette période jusqu'aujourd'hui, ils ne se sont jamais quittés. Cependant, dès le début de leur romance digne d'un conte de fées, la mère de la jeune fille ainsi que son père ont été farouchement opposés de leurs fiançailles. En premier lieu, les parents de celle-ci, lui avait proposé son cousin. Mais Fatma Zahara avait catégoriquement refusait, car elle avait du mépris et la phobie pour le mariage arrangé. De plus, il y avait aussi trois jeunes garçons riches de sa tribu qui lui avaient demandé sa main, mais elle avait refusé. En gros, son cœur ne battait que pour Cheikh Diop. Elle disait souvent à ses amies que « c'est Diop ou rien ». Chaque fois, quand elle répétait cette petite phrase devant ses camarades, on voyait la rose d'amour qu'illuminaient ses yeux.

En second lieu, ni le père de Fatima Zahara ni sa mère ne souhaitaient que leur fille se marie avec un noir. Son père répétait toujours à sa fille qu'elle était libre de choisir son mari : « tu pourrais te marier avec un Européen, un américain ou un Asiatique, mais jamais avec un noir », disait-il.

47

Bien que Cheikh Diop ne roule pas sur l'or, quand il était en France, il avait multiplié de petits boulots pour subvenir aux besoins de sa Fatima. Il avait acheté une voiture de 7000 euros pour elle. Cette somme était énorme pour un étudiant, mais comme l'amour de celui-ci primait sur l'argent, il était prêt à faire l'impossible pour juste satisfaire l'exigence de cette extravagante jeune fille. Il faisait tout ce qui était à son pouvoir pour que son alter ego puisse recevoir 100 euros chaque mois. Ce n'était facile pour lui, car, il avait des heures du travail trop limitées.

Même si Cheikh Diop et sa fiancée entretenaient une relation harmonieuse, cependant ils avaient aussi les points des divergences. En effet, Cheikh aimait tellement tout ce qui était naturel. Contrairement à sa petite, elle n'adorait que tout ce qui pourrait transformer surtout l'apparence physique de la personne. Elle disait toujours à son partenaire que son rêve était de faire un jour la chirurgie esthétique pour augmenter la taille de sa poitrine et pour rendre plus pointu encore son nez. Elle faisait aussi le gavage. Cette pratique ancestrale faisait partie de sa tradition. Quand bien même celui-ci respectait la tradition et la culture de la communauté de sa fiancée, mais il était inquiet parce qu'il était conscient que cette pratique culturelle pouvait avoir de répercussions négatives sur la santé physique, physionomique, psychique et même psychologique de celle-ci. D'ailleurs la plupart des femmes qui font cette pratique archaïque finissent le reste de leur vie sur le lit de l'hôpital.

Ensuite, Cheikh Diop ne pensait pas comme la plupart des hommes de la communauté Beidane pour qui le gavage correspondait à la beauté suprême de la femme. Et toute femme qui n'était pas grosse et ronde était tout simplement l'aide. La thèse que Cheikh défendait était simple : la beauté d'une femme ne devait pas être exclusivement limitée à son apparence physique, mais plutôt à sa personne. Mais ce qui lui dérangeait de plus, c'était la manière dont le gavage s'était effectué dans le milieu maure : par exemple, les mamans poussaient les filles à manger constamment et activement toute la journée pour en grossir. Elles donnaient plusieurs litres de lait aux filles à boire chaque matin jusqu'à ce qu'elles vomissaient. Elles donnaient également aux filles la pilule surnommée : pilule miracle, « dreug-dreug » et pourtant cette pilule est destinée spécifiquement aux bestiaux pour produire de gras. D'une part, Cheikh Diop était très actif pour la préparation de son mariage ; néanmoins, il voulait juste un petit mariage. Contrairement à sa femme qui aimait croquait la vie en pleines dents, elle souhaitait un mariage gigantesque qui restera dans les annales des mariages de Mauritanie. Mais ce qu'elle ne comprenait toujours pas jusque-là, Cheikh était pauvre, car depuis qu'il était retourné en Mauritanie, c'était des malheurs en cascade qui lui hantait.

Cheikh n'était pas paresseux, car depuis son retour au bercail, il n'a pas baissé le bras ; il a cherché du travail comme il pouvait : mais en vain.

Malheureusement, il avait subi des blocages administratifs à caractère raciste. Même s'il était un homme audacieux et pratique, après plusieurs tentatives de recherches d'un emploi, il avait finalement jeté l'éponge. Et il avait juré de ne plus se présenter aux concours nationaux de son pays. Il avait eu tout de même un petit boulot grâce à son voisin : il était devenu enseignant de l'école fondamentale et il ne gagnait que 5000 MRU par mois et le Directeur de son école lui avait donné un emploi du temps surchargé. En un mot, il avait 38 heures par semaine. Ce n'était pas tout, ancien étudiant de l'une des meilleures universités européennes, il travaillait également au Fast Food TOURÉ situé juste à côté du carrefour TOURÉ de la ville de Nouakchott. Il avait 300 heures par mois, car il montait chaque jour à 16 heures et il descendait à 2 heures sans même une minute de pose ni le jour du repos. Comme, il était un simple serveur, son patron libanais l'humiliait tous les jours devant les gens. Cependant, quel que soit ce que son chef et d'autres gérants lui disaient, il ne s'occupait que de son travail et il ne répondait jamais aux critiques ni aux allégations dont il faisait l'objet quotidiennement. Face à cette vie tapageuse qu'il menait, ses amis lui avaient fortement conseillé de quitter son pays pour la France.

Mais ce dernier ne voulait pas entendre parler de la France. Il était quand même convaincu que sa souffrance ne serait pas pour toujours.

D'autre part, sur le plan psychologique, ce jeune wolof était complètement métamorphosé. Il n'était plus celui qui aimait faire rire ses amis. Il n'était également plus le gentleman arrogant. Cheikh devint trop calme et il ne fréquentait pas beaucoup ses amis. Ancien élève de Djoukha, venait rarement chez Kolo Koulibaly le week-end. Chaque dimanche soir, les jeunes des cadres de demain se réunissaient là-bas pour en parler de leur projet. Même si celui-ci était devenu un peu infréquentable, il y avait quand même une chose qui était augmentée en lui : la foi. Il priait énormément, il jeûnait trois fois par semaine et il faisait des aumônes couramment, sans oublier sa lecture quotidienne du saint coran. Il avait aussi arrêté d'écouter de la musique. Face à ce changement brusque et radical, certains de ses amis avaient commencé à se demander si vraiment leur camarade ne voulait pas être comme les gens que le monde a peur d'eux.

Mais en réalité il n'était pas devenu un extrémiste, juste qu'il voulait se rapprocher de son créateur, car il avait finalement bien compris que tous les problèmes qu'il faisait face c'était Allah seul qui pourrait l'aider. Il a été également choisi par l'unanimité comme muezzin principal de la grande mosquée de Nouakchott Ouest. Un jour l'un de ses cousins était venu chez lui. Cheikh lui expliqua la situation à laquelle il faisait face. Et celui-ci expliqua à Cheikh ce qu'il devrait faire pour sortir dans cette impasse financière. Ce dernier l'écouta religieusement. Mais quand, il demanda à l'ancien étudiant de Sorbonne de faire le sacrifice d'un coq rouge, il se déchaîna complètement.

— Moi je suis le capitaine de mon destin et j'assume entièrement tout ce qui m'arrive. Je ne crois pas au pouvoir magique de marabout. Moi-même je suis le fils d'un marabout, j'ai mémorisé le saint coran deux fois quand j'ai été trop jeune. Le monde dans lequel nous vivons aujourd'hui est dominé par les gens qui ne cherchent qu'à dilapider l'argent des gens qui sont dans des situations difficiles. Et pour arriver à leur fin, tous les moyens sont bons. Aujourd'hui, la plupart des gens qui se disent marabouts sont juste des trafiquants d'espoirs qui ne cherchent que les gens faibles, autrement dit ceux qui ont beaucoup de problèmes et non pas pour régler leurs problèmes, mais plutôt pour ajouter le problème à leurs problèmes. Tu sais cousin, il est temps que tu aies une prise de conscience, car si ces charlatans étaient vraiment tels qu'ils se décrivaient, l'Afrique serait aujourd'hui le continent le plus développé du monde « si vraiment le devin pouvait régler les problèmes de gens, il y aurait aucun féticheur pauvre sur cette terre », avait dit mon grand-père. Ils ne font que dévaloriser les noms de vrais marabouts, des pieux qui ne font que travailler pour notre créateur. Ils jouent toujours avec le concept. Ils s'autoproclament marabouts pour attirer la clientèle, alors qu'en réalité, ils ne sont que de bande des illuminés. Après une longue méditation de la part de cousin de Cheikh Diop, il a juré de ne plus croire au côté mystique de devin. Il avait même dit à celui-ci qu'il était en formation pour devenir un grand devin, son maître était un Malien et il avait dépassé plus de 20 000 MRU pour cette formation diabolique.

Quel coup de tonnerre ! C'était la première fois durant 12 ans que Cheikh Diop et sa fiancée n'avaient pas parlé pendant une semaine. Durant ces 7 jours, ce dernier l'appelait quotidiennement ; son téléphone sonnait normalement comme d'habitude. Cependant, elle ne décrochait pas son appel. Puis, pendant ces 168 heures, il lui avait envoyé les messages sur Fecebook, WhatsApp et Instagram, elle ne répondait toujours pas, néanmoins elle était en ligne de façon permanente et elle lisait automatiquement les messages de son fiancé, mais sans réaction. Quand Cheikh l'appelait avec un autre numéro, elle décrochait directement. Toutefois, chaque fois qu'elle savait que c'était la voix de son tourtereau, elle raccrochait. Après une semaine de patience, Cheikh sut qu'il y avait un grand problème néanmoins, il ne savait pas de quel genre de problème il s'agissait. Il commença à s'interroger sur le mal qu'il aurait fait à sa fiancée dans le passé. Cependant, il n'en trouva rien. Il se questionna également sur le tort qu'il aurait fait à celle-ci quand il était à l'étranger, mais il n'en a pas trouvé la réponse à cette question aussi. Ensuite, il a écrit sur Google : « Si ta fiancée continue de lire ton message sans te répondre pendant sept jours qu'est-ce que cela signifie ? » Après avoir lu des centaines de pages sur Google, Cheikh était sous le choc et il décida dare-dare alors de faire l'impossible. Aussitôt, il prit la route de la maison de sa future mère de ses enfants. Arrivant devant chez elle, il s'arrêta sous un arbre pour réfléchir de ce qu'il devait faire. Il médita longuement avant de s'appuyer sur OK de son portable. Mais cette dernière ne répondait toujours pas à ses appels ainsi qu'à ses messages. Après plusieurs appels sans succès, il assit sous un arbre et il appela son ami Kolo Koulibaly pour lui demander son avis face au dilemme auquel il faisait face. Il lui recommanda d'écouter son cœur. Quand, il termina de parler avec son ami, il prit le courage et il rentra craintivement dans le domicile de Fatima. Il trouva ses parents en train de regarder le journal de la télévision mauritanienne. Il les salua. Tout le monde répondit sauf une personne : Fatima Zahara. La maman de la fille lui donna sa place. Il assit non loin de sa fiancée. Mais Cheikh n'était pas confiant ; il avait le visage figé, le regard fixé et la bouche sèche. Fatima Zahara quant à elle n'était pas heureuse de voir son fiancé. Elle avait le visage contracté, des sourcils froncés et les narines pincées.

Pendant que la mère de Fatima préparait du zrig « lait », symbole d'hospitalité de Beidane pour son futur beau-fils, Fatima, elle, s'éleva brusquement et fonça en murmurant dans sa chambre. Beaucoup de minutes coulèrent, mais elle ne fut pas sortie. Cheikh patienta désespérément. Il ne suivait pas bien sa conversation avec sa future belle-mère. Il ne comprenait pas pourquoi sa complice lui boudait. De plus, les mâchoires du père de Fatima étaient aussi fermées, il parlait avec une voix forte à sa femme et la nervosité l'emportait à chaque minute qui coulait. Cheikh a compris que c'était sa présence qui dérangeait le père de sa fiancée. Et il se souvenait parfaitement de la phrase de ce vieux qui disait toujours que « sa fille pourrait se marier avec n'importe qui sauf un noir » comme il faisait déjà 23 heures, la mère de Fatima appela sa fille sans cesse. Mais elle ne répondait pas. Elle s'éleva et rentra dans sa chambre et lui demanda ce qui se tramait. « Dis-lui de partir maman », c'était la seule phrase que Fatima Zahara a pu prononcer à sa mère. Elle se pointa honteusement devant son futur beau-fils et lui glissa les mots de sa fille. Le jeune wolof encaissa la honte, s'éleva doucement sur le fauteuil, et sa future belle-mère lui demanda de prendre un verre de zrig. Il déclina gentiment sa demande. Il avait un regard sombre, les yeux presque fermés et la tête basse. Bref, il était noyé totalement dans l'ignominie. Il sortit du salon, arriva jusqu'à la porte, puis remit ses chaussures, regarda en colère la chambre de sa fiancée, tourna diffusément son dos, secoua sa tête puis prit tristement la route de sa maison. Jusque-là, Cheikh ne comprenait pas toujours la volte-face de sa fiancée. Il se croyait dans le mirage. Il n'imaginait pas que c'était sa Fatima qui lui a tapé la honte. Il refusait de croire que c'était elle qui venait de l'humilier devant ses parents.

Le lendemain matin, le jeune wolof n'a pas pu aller au travail. Il resta tout pâle sur son lit parce qu'il venait de passer l'une des plus désagréables nuits de sa vie. Cette nuit était une nuit sans fin pour lui, car il a été humilié devant les parents de sa future femme. Du moins, pour essayer de digérer cet affront qui venait de subir, le bon musulman décida de jeûner. Comme, il était épuisé de se coucher sur son lit jusqu'à 16 heures. Il s'éleva et prit le bain, s'habilla et alla se détendre sur la place de la liberté de Nouakchott.

Arrivant sur ce lieu, il s'installa tranquillement non loin d'Hôtel Azalai. Il activa sa connexion internet pour essayer d'échanger avec ses amis de France. Soudain son téléphone sonna, il décrocha, un homme avec une voix rocailleuse se présenta comme Monsieur Moctar Ben Moktar, le nouveau fiancé de sa fiancée. Et ils continuèrent la conversation sur ce terme :

— Je sais que ton nom est Diop et je sais que tu fus fiancé de ma nouvelle fiancée. Si vraiment tu veux m'écouter tends bien tes oreilles, mon désormais rival éternel. Sincèrement parlant, penses-tu que tu es capable de te marier avec cette jolie créature blanche ? As-tu les moyens financiers de l'entretenir ? Peux-tu me dire depuis quand, un noir pauvre a commencé à songer à se marier avec une femme mauresque en Mauritanie ? Tu sais plus que quiconque que Fatima Mint Zahara est une femme sublime. Elle a une beauté magique. Sa forme physique perturbe ses visiteurs. Elle est grosse et ronde, elle répond à tous les critères de la beauté de la femme mauresque. Son visage d'ange et son sourire ravageur ne laissent aucun homme indifférent. Elle est aussi trop appréciée dans notre tribu, car elle est fondamentalement bonne. Dans notre communauté, on a la pudeur de décrire une femme. Sinon je pourrais écrire des livres sur la beauté et sur béatitude. Allo, allo, allo, Monsieur Diop, je pense que tu m'attends plus, je dois couper l'appel.

— Si, Monsieur, je t'entends continuer seulement de parler, la liaison est rétablie.

— OK, merci. Ensuite, ma fiancée, c'est-à-dire ton ex, m'a décliné méthodiquement ta biographie. Elle m'a dit que tu fus étudiant de l'université de Sorbonne et aujourd'hui tu es enseignant dans une école privée. Tu enseignes les élèves de 2e et 4e année fondamentale. Elle m'a dit également que tu galères tellement dans la restauration. Tu travailles là-bas comme serveur. Et tu n'arrives pas à rejoindre les deux bouts, car tu as deux boulots et tu gagnes en tout 10 000 MRU par mois. Dommage ! 10. 000 c'est l'argent de mon petit déjeuner, frangin, hahaha ! 10.000 MRU ne fait même pas 300 euros. Tu es extrêmement et fondamentalement pauvre et j'ai vraiment de la peine pour toi. Comment es-tu tombé si bas, jeune homme ? Je ne comprends toujours pas comment un étudiant de cette meilleure université de portée mondiale se trouve dans cette situation financière catastrophique. Vraiment, vous les noirs, vous avez beaucoup de problèmes.

Dieu vous a donné la tête pour réfléchir, mais vous, vous utilisez vos poitrines pour réfléchir. C'est pourquoi vous êtes toujours à la marge de l'histoire de l'humanité.

Penses-tu que tu peux voir un docteur arabe de ce pays, quelle qu'en soit la discipline, enseigne à l'école fondamentale puis travaillant en même temps au restaurant comme serveur ? Si tu vois juste un Arabe qui s'y trouve dans la situation similaire que toi, je te donnerai 100 000 MRU automatiquement. Même ceux qui n'ont pas appris ne font presque pas le genre de ce boulot, a fortiori les diplômés. Personnellement, jamais j'ai une fois pensé qu'un docteur que ce soit noir ou blanc pourrait être dans cette situation alarmante en Mauritanie. C'est maintenant que je viens de confirmer la citation d'Hegel, le philosophe allemand, à propos des noirs, quand il disait : « les nègres sont des êtres inaptes dans l'absolue, incapable d'évoluer, juste bon au travail manuel ». Même si tu es désormais mon rival éternel, j'ai tellement pitié de toi, car un intellectuel de ton calibre qui n'arrive même pas à décrocher un emploi digne dans son propre pays est inimaginable. Je trouve ça incroyable, inadmissible au cas où tu es Mauritanien de souche. Mais je pense que tu n'as pas tout dit comme ton nom de famille est Diop donc tu es sûrement un Sénégalais. Va là-bas ! Tu auras un travail équivalent à tes diplômes. Comme ton nom de famille est aussi Diop, il se peut qu'il y ait le lien de parenté entre le docteur Cheikh Anta Diop, le savant africain le plus marquant du 20ᵉ siècle, et toi. Je reconnais que cet homme même s'il était noir en tout cas, il était l'exception de tous les noirs à mon avis, il avait une connaissance immense. Paix à son âme. C'était juste une parenthèse ; je continue. J'aimerais que tu me dises que depuis quand un Kori ose demander la main de nos sœurs. Tout d'abord, nous n'avons pas la même valeur culturelle. Nous les Arabes, nous avons une culturelle qui est immensément riche. Nous, nous sommes si fiers de nos traditions. Depuis l'antiquité jusque-là, nous avons le même style vestimentaire que nos ancêtres. Cela prouve que nous protégeons jalousement l'ensemble de nos valeurs culturelles. De plus, tellement nous respectons nos femmes, chez nous une femme est une perle précieuse. On ne la gronde pas et on ne la frappe pas. Elle peut gifler son mari et jamais son mari va réagir.

Chez nous, si une femme est divorcée, non seulement on donne raison à la femme, mais on fête aussi son divorce, car elle est devenue libre. Libre parce que chez nous on suppose que s'il y a le divorce, quelle qu'en soit sa nature, c'est la femme qui se libère. C'est pour cela qu'on jubile non seulement la victoire de la femme sur l'homme, mais aussi pour montrer aux autres hommes que la voie est libre pour un éventuel candidat. Contrairement de chez vous, vous prenez une femme comme esclave. C'est elle qui cuisine et fait le linge. Elle est frappée, si elle fait une petite bêtise. Chez vous, un homme peut également épouser 4 femmes et les coépouses vivent toutes dans la même maison indépendamment de leur volonté.

En outre, vous détestez complètement votre culture. Vous ne rêvez qu'à devenir les blancs. Combien de femmes noires ont la peau cramée en Mauritanie aujourd'hui ? Dis-moi combien ? Tellement vos femmes sont naïves, on leur a fait croire que les cheveux longs sont les meilleurs et elles y ont cru. C'est pour cela, elles ont choisi les moumoutes et les perruques pour remplacer leurs propres cheveux naturels.

Je sais que j'ai pris trop de temps et j'ai m'en excuse. Pour finir, ma Fatima Mint Zahara a reconnu que tu es une personne sympathique et tu avais fait beaucoup de choses pour elle, donc merci une fois encore d'être gentil avec elle. Par contre, maintenant je veux te proposer une solution pour que vous, vous sépariez sans la haine, car 12 ans de relation c'est vraiment énorme. Je te donne 3 jours pour calculer chirurgicalement tout ce que tu as fait pour elle depuis que tu l'as connue jusqu'aujourd'hui. Je veux tout payer et elle sera à moi tout seul. Mach'Allah, je suis suffisamment riche donc n'aie pas pitié de moi. Je suis de la tribu d'Oulad bisbaa et nous sommes puissants.

— Je veux commencer à calculer dès maintenant. Bonne soirée, Moctar.

Cheikh Diop a été encore mal mené à nouveau par le désormais fiancé de sa fiancée. Maintenant, les choses sont claires, Fatima ne voulait plus de lui. Comme, il n'avait plus la carte à la main, il accepta sans résistance son cuisant échec. Cependant cette fois-ci, il ne voulait pas être dominé par sa faiblesse psychologique, il décida d'en finir avec elle une bonne fois pour toutes.

Après deux unités de prière, il prit son stylo noir et commença à calculer minutieusement et tranquillement tout ce qu'il avait dépensé pour elle. Aussitôt, il sortit deux cahiers de deux cents pages. Après le compte, les chiffres qu'il avait trouvés étaient astronomiques : 900 000 MRU.

À peine ses calculs terminés, Fatima Zahara pénétra brusquement dans la chambre de celui-ci. Elle lui salua, et resta ankylosée quelques minutes. Puis, elle se tourna, retourna, sortit, rentra encore et ressortit et rentra à nouveau et assit sur un canapé. Cheikh ne la regarda même pas. Ce fut silence tombal ! Même les mouches avaient respecté quelques minutes de silence. Fatima Zahara avait un visage inondé de larmes. Elle pleura pendant un bon moment, puis elle se tut ; elle pleura encore et encore jusqu'à ce que son visage devienne rouge, mais son ex-fiancé resta calme et serein.

Fatima a finalement parlé : je suis venue te dire que tu m'avais trompé durant 12 ans. 12 ans pendant lesquels nous étions proches sentimentalement parlant. D'emblée, tu ne m'as jamais dit que tu étais fiancé alors que tu l'étais depuis que tu avais 13 ans. De plus, tu m'avais toujours dit que tu étais un Mauritanien de souche alors que tu étais un pauvre Sénégalais. Né dans une famille de griot au sud du Sénégal. Ton père avait passé toute sa vie à quémander au Sénégal. Arrivant en Mauritanie avec sa famille en 2002, il avait continué la mendicité jusqu'à sa mort récente. Tu as l'air surpris, car jamais tu croyais que je pourrais avoir de telles informations sur ta famille. Tu m'avais toujours chanté que tu es né d'une famille maraboutique et c'était ton père même qui était un imam de la mosquée. Dans ce cas comment un fils du griot peut-il être un fils de marabout en même temps ? L'hypothèse est simple : soit tu ne connais pas ton père biologique, excuse-moi du terme, soit tu mens sur ton statut social.

Mon nouveau fiancé Moctar Ben Moctar m'a tout dit de toi. Il était allé jusqu'au Sénégal. Il a vu ta fiancée et voilà même sa photo.

Regarde-la bien ! C'est celle-là que tu le mérites. Regarde bien son visage ! Elle ne m'arrive même pas aux chevilles. Je comprends maintenant pourquoi mon père ne voulait pas que je me marie avec un Kori. Vous êtes tous des manipulateurs. Vous êtes forts pour cajoler une femme.

Une fois qu'elle sera à votre guise, vous vous projetez encore pour une deuxième, ainsi de suite jusqu'à quatre. Avec le recul, j'ai compris que tous les Kori, que ça soit peul, soninké ou wolof vous êtes tous des étrangers. Des étrangers venant de proche ou de loin. Vos frères se trouvent au Sénégal, au Mali, ou encore au Burkina Faso et même en Centrafrique, et nos frères se trouvent en Arabie Saoudite, au Qatar, en Tunisie, en Palestine…

C'est pour cela, si les Israéliens agressent nos frères palestiniens, nous les blancs de Mauritanie, nous manifestons immédiatement. Mais si les chrétiens centrafricains tuent les musulmans de ce pays, nous restons indifférents, car même si nous partageons la même religion avec eux, cependant nous n'avons pas la même couleur. Et j'ai appris récemment que vous aimez frapper vos femmes. Frapper sa femme pour vous symbolise la bravoure. Battre sa femme pour vous symbolise l'honneur. Mais ce qui est absolument accablant dans tout ça, vous n'êtes même pas capable d'acheter une maison ou une voiture à vos femmes. Les Kori qui sont en Europe envoient chaque mois 1000 MRU à leurs femmes, même si cette dernière a 7 enfants. Ceux qui sont dans les villes comme Nouakchott, Nouadhibou, Dakar ou Bamako envoient 500 MRU pour leur femme chaque mois, même si celle-ci a beaucoup d'enfants. Si une femme est divorcée chez vous, même si elle a 5 enfants, elle quitte sa maison conjugale bredouille, comme si elle n'a jamais fait du bien dans sa vie. C'est juste dommage pour vos femmes, car vous les empêchez de vivre dignement comme des êtres normaux.

Contrairement à chez nous, un cas de divorce, c'est l'homme qui part et la maison revient automatiquement à la femme. Par conséquent, je ne peux pas me marier avec toi, car votre culture n'est pas compatible à la nôtre. Mon fiancé m'a confirmé que 99 % des noirs qui se marient avec nous sont tous des hommes très riches, mais pas un « gharaye » : enseignant de primaire comme toi. Si tu as quelque chose à me dire, dis-le-moi, avant que je parte. Du fait que tu refuses de parler et que tu me regardes, comme un dessin animé, je dois te dire l'essentiel vite. En effet, mon boss chéri m'a envoyé de te dire que demain inch'Allah, à 18 h 30 minutes, vous allez vous trouver au restaurant PRINCE qui est juste à côté de l'hôpital d'oncologie de Nouakchott pour qu'il te rembourse la totalité de tes miettes que tu m'avais données durant plus d'une décennie.

Je m'en vais, prends 5000 MRU ! Tu achèteras ton dîner avec, et n'oublie pas que c'est le salaire de garaye. Hahaha !

Après une énième humiliation, son ex s'en alla. Il n'a même pas touché l'argent que Fatima lui a donné. Comme convenu, le lendemain à 18 heures 30 minutes, ils s'étaient vus dans l'endroit indiqué. Moctar Ben Moctar lui donna 900 000 MRU plus 100 000 de bonus. Le bon musulman refusa gentiment de toucher le bonus que ce dernier lui avait donné.

Cheikh était rentré tranquillement chez lui. Il était parti avec un sac à dos bourré de devises. Il était devenu semi-riche par hasard, car il n'a jamais prémédité d'obtenir cette somme de la sorte. Il a pu récolter quand même les fruits de tant d'années de la souffrance qu'il avait consacrée à son ex-fiancée.

De son côté, Fatima Mint Zahara téléphona à Cheikh et lui demanda s'il n'avait pas commis d'erreur de calcul, car selon elle, tout ce que celui-ci avait dépensé pour elle aurait largement dépassé 900 000 MRU. Ce dernier lui rassurant qu'il avait répété sept fois ses calculs et ça tombe toujours sur le même chiffre en d'autres termes 900 000 MRU.

En plus, Cheikh Diop avait toujours eu idée de créer une entreprise de transport. Mais ce qui lui manquait c'était les moyens financiers. Ainsi une semaine après que le fiancé de son ex lui remboursa son argent, il ouvrit directement une petite Agence de voyages. Comme le hasard a voulu, le jour même que ce dernier avait monté son entreprise, c'était le même jour que son ex se mariait avec Motar Ben Moctar. Le millionnaire avait organisé un mariage démesuré. Il avait loué 3 jours la case, là où les fêtes de mariages sont organisées à Nouakchott ; du jamais vu. Il avait même invité les chanteuses qui dominaient la vie artistique mauritanienne comme : Mouna, Adviser, Demba Tandia. Ce jour-là, Nouakchott était dans une atmosphère remarquable, car ce mariage a été ultra-médiatisé tant à l'intérieur du pays comme à l'extérieur. Les photos de la fête avaient inondé les réseaux sociaux.

Une semaine après ce grandiose mariage, les jeunes tourtereaux s'envolèrent pour Dubaï. Ils passèrent 3 jours de lune de miel dans l'hôtel de Burdj Khalifa.

Durant ce court séjour, ils ont pu quand même visiter le Burdj-al-Arab, Doubaï Mall et Doubaï Aquarium & underwater Zoo. Ils prirent la route de Paris après Dubaï, là-bas encore, ils passèrent une semaine dans l'hôtel Concorde Montparnasse. Durant ces 7 jours, ils ont eu l'occasion d'aller visiter la tour Eiffel, le château de Versailles, la cathédrale Notre-Dame de Paris, le Musée du Louvre, L'Arc de Triomphe... Après Paris, ils se dirigèrent vers le pays du soleil de minuit. Fatima Mint Zahara était éperdument tombée amoureuse de la Finlande. Elle ne croyait pas à ses yeux qu'il y avait du soleil à minuit. Elle criait de joie en voyant ce magnifique pays truffé de la beauté qui dépassait largement ses imaginations. C'était la raison pour laquelle, elle avait fait beaucoup de photos. Dans ce pays, ils avaient pu visiter aussi les monuments Sibelius, le musée national finlandais et Le Allas Sea pool. Son admiration pour ce pays était indescriptible. Elle disait souvent « si la Finlande était le Finlande, je me marierais avec lui ». Mais elle n'était pas la seule personne à ressentir une extase intense pour ce beau pays de l'Europe du Nord d'ailleurs, la Finlande est désignée pour la quatrième fois consécutive le pays le plus heureux du monde ; elle avait rebaptisé sa chambre à coucher Helsinki. Même après leur retour en Mauritanie, elle rêvait presque toutes les nuits de ce merveilleux pays. C'était pourquoi son mari lui avait promis de repartir faire leurs vacances là-bas l'année prochaine encore.

Par ailleurs, leur dernière lune de miel fut au Pays des mille collines. Dans ce Singapour africain, tout était beau. Le pays égorge une beauté incommensurable. Les routes sont bitumées et propres. Tout le monde avait la bonne humeur et tout le monde était prêt à aider tout le monde. Ils avaient eu la chance de visiter même des écoles qui étaient dans de petits villages. Ils avaient vu de choses incroyables. Même dans le bout du bout de ce pays, tous les élèves étaient informatisés. En d'autres termes, chaque enfant de ce pays avait et savait utiliser les outils informatiques. Alors que dans le pays de Fatima Mint Zahara, même dans les meilleures écoles, les élèves n'avaient même pas accès à l'informatique a fortiori de l'utiliser. Ils avaient également visité le parc National de la Forêt de Nyungwe. Ce parc est connu par sa beauté naturelle et ses paysages diversifiés. Ils avaient même eu la chance de donner le manger aux primates comme le singe, le chimpanzé et le gorille. Enfin c'était le rêve rwandais qui captivait l'attention de Fatima Mint Zahara.

Les jeunes tout comme les vieux de ce pays disaient qu'en 2050 le Rwanda serait le pays le plus riche d'Afrique. Chaque fois qu'elle discutait avec un citoyen de ce pays, quel qu'en soit son âge ou son ethnie, il répétait la même phrase en boucle. Fatima avait aussi beaucoup aimé ce pays, car elle n'avait jamais pensé qu'il y avait aussi des pays si propres en Afrique. Elle n'avait aussi jamais imaginé qu'en Afrique, il y a les citoyens qui œuvrent nuit et jour pour le développement de leur pays.

Chapitre 4

Le natif de Sabouciré était chez son ami, Bouba Keita. Ils discutaient calmement autour du thé sur la terrasse. Leurs discussions étaient centrées sur le racisme d'État en Mauritanie. Mais ce n'était pas pour rien que ce sujet a été abordé, car depuis que ces deux amis étaient rentrés au pays, ils avaient subi toutes sortes de racismes. Pendant trois longues années, ils n'avaient pas pu décrocher un emploi malgré toutes les énergies qu'ils avaient déployées. Avec tout ce qu'ils avaient enduré, ils continuaient à aimer inconditionnellement leur pays, car entre eux ils avaient l'habitude de critiquer la Mauritanie dans le sens positif du terme. Cependant, ils ne donnaient pas cette occasion aux étrangers, car beaucoup d'étrangers, surtout ceux qui travaillaient en Mauritanie, aimaient juste critiquer ce pays sans même connaître sa réalité politique, économique, sociale et culturelle. En pleine discussion entre les deux K, Lamine Mangane arriva en courant et s'assit à quelques centimètres de Kolo Koulibaly sans même dire bonsoir. Les regards de trois amis se croisèrent plusieurs fois et personne ne pipait un mot. Bouba Keita a compris alors qu'il y avait un problème, car d'habitude Lamine Mangane ne venait jamais chez lui à cette heure de la nuit.

— Qui y a-t-il, Lamine ? dit Bouba Keita.

— Mes amis, j'ai une urgence et vous êtes les seuls à pouvoir m'aider : en effet j'aimerais que vous m'accompagniez au centre d'enrôlement de Sebkha maintenant.

— Sebkha, c'est trop loin, toi aussi, comme j'habite à Ksar, passes la nuit ici et demain matin on va t'accompagner Inch'Allah, n'est-ce pas, Kolo ?

— Si je suis entièrement disponible pour demain matin.

— Mes amis c'est demain matin que je devrais être enrôlé. Mais nous avons intérêt à partir maintenant pour que je puisse avoir le numéro 1. Sinon si on attend demain matin, ça sera trop tard.

— Quoi ! s'exclama Bouba Keita. Nous ne pouvons pas aller maintenant, tout d'abord, il est déjà 22 heures 36 minutes et nous n'avons même pas pris le dîner. Comment est-ce que c'est possible ? Calme-toi, mon petit, nous irons tranquillement demain matin si Dieu le veut bien sûr.

Tu sais quoi, Maman est en train de cuisiner ton plat préféré. Arrête de faire cette tête-là, assieds-toi ! Prends de l'eau et relaxe-toi. Ensuite, Ksar est trop loin de Sebkha. À partir de 23 heures, ça sera difficile de trouver un taxi. À mon avis, vous devriez tous passer la nuit chez moi et demain nous partirons au premier chant du coq.

— Ce que tu ne comprends pas, Bouba, c'est que le gouvernement a annoncé que dans un mois celui qui ne possède pas la nouvelle pièce d'identité ne pourra plus utiliser l'ancienne que ça soit pour voyager ou pour se présenter aux concours nationaux. J'insiste qu'on parte maintenant, parce que j'en suis convaincu que, si nous décidions de partir demain matin, ça sera trop tard, car il y aura trop de monde là-bas. La meilleure façon de trouver une place là-bas est de passer la nuit sur place.

— C'est grave alors, dit Bouba Keita, tu m'as fait penser au jour où nous avons passé une nuit blanche quand on faisait le concours de l'ÉNA.

— Kolo, quelle solution proposes-tu ? dit Lamine Mangane.

— Moi je pense que l'amitié prime sur le dîner délicieux de la mère de Bouba, même si nous savons tous qu'elle est un véritable cordon bleu, nous sommes tous des amis, et Lamine Mangane est notre ami et petit frère. Comme, il a quitté Sebkha pour venir nous demander de l'aide jusqu'ici, ceci veut dire qu'il compte énormément sur nous. Donc nous n'avons pas d'autre choix que de l'accompagner tout de suite.

— OK, dit Bouba Keita, attendez un peu, je veux demander à ma mère si le dîner pourrait être servi dans les 5 minutes qui suivent. Comme ça, on pourrait mettre quelque chose entre nos dents, avant de bouger. Maman est ce qu'on pourrait avoir notre dîner dans quelques minutes, car nous avons l'intention d'accompagner notre ami dans le centre d'enrôlement de Sebkha maintenant, et nous allons passer là-bas avec lui.

— Malheureusement, le dîner n'est pas prêt, mon fils, mais prends 200 MRU, vous allez vous débrouiller avec.

— Merci, maman, mais gardez votre argent, je ne suis plus un enfant. J'ai déjà grandi. Je suis devenu un homme maintenant et je peux m'en débrouiller seul.

— Je sais que tu es un homme maintenant mon fils, mais tu ne travailles pas et tu resteras toujours mon bébé, quel que soit l'âge que tu auras. Prends-le s'il te plaît !

— Merci, maman, je t'aime, à bientôt.

— Je t'aime aussi mon fils que Dieu vous protège. Je sais que vous pouvez avoir des ennuis là-bas, mais je vous demande juste de ne pas semer les désordres.

— Entendu, maman !

C'était dans cette conversation de l'amour et de la tendresse entre Bouba Keita et sa mère, Nabintou Bakayoko, que celui-ci et ses amis ont pris la route de Sebkha. Il était exactement 23 heures 17 minutes quand, les jeunes gens ont quitté la maison de leur ami. Ils cherchèrent un peu partout le taxi, mais : en vain. Ils décidèrent de prendre un raccourci pour arriver à temps. Comme ils avaient tellement faim, ils marchèrent doucement jusqu'à un petit restaurant, Bouba Keita acheta un sandwich pour chacun de ses amis. Ils mangèrent puis prirent leur interminable trajet. Ils arrivèrent épuiser au centre de Sebkha à 1 heure quatre minutes. Ils s'étaient installés à côté de la boutique d'un vieux Beidane, un vieux pas comme les autres. Il s'agissait de Monsieur Marahbe, cet homme était une personne humble, courtoise et admirable. À peine quelques minutes de discussions entre lui et les trois amis, il décida de leur donner tous les matériels du thé et même la seule grande couverture qu'il en avait. Bouba acheta les nécessaires dans sa boutique. Marahabe n'était pas un inculte, en quelques minutes de discussions, il leur expliqua les faces cachées des événements de 1989. Il avait même cité la tête pensante de ce crime abominable et il avait juré que si le concepteur de l'événement 1989 n'était pas mort subitement, en 1990, il n'y aurait pas 28 soldats négro-africains de la Mauritanie pendus, mais ce serait tous les soldats négro-africains de ce pays qui seraient exécutés tout court. Pendant que ce sexagénaire haranguait Bouba et ses amis, Lamine Mangane continuait à palper sans cesse sa poche, car pour lui ce qui comptait le plus c'était son ticket d'entrée dans les bureaux des enrôleurs.

Après une difficile et longue nuit, la journée s'installa peu à peu. Il était déjà 7 heures, tout le monde se mettait au rang selon le numéro de la liste pour éviter le désordre. Ils attendaient tous 8 heures pour que le travail commence. Tellement les rangs avaient été mal faits, les uns ont été empilés contre les autres comme des bestiaux, hors des caméras nationales et internationales. Il y avait que les noirs qui faisaient les rangs. Subitement, un homme colosse à la mine patibulaire puant bouscula vigoureusement un jeune mince qui refusa de quitter à sa place. Ce jeune mince se blessait grièvement à sa nuque, et les sangs coulaient longuement. Comme tout le monde ne songeait qu'à obtenir le sésame mauritanien, les citoyens avaient considéré cette action comme un non-événement ; ils n'en parlaient même pas. Tout le monde évitait de perdre sa place.

Tous les regards étaient rivés sur un endroit : le hall de bâtiment où se trouvaient les différents bureaux de récemment. Les policiers arrivèrent tardivement sur le lieu et ils emmenèrent la victime et le coupable au commissariat. Il était déjà 9 heures 23 minutes quand cet incident se produisait, mais le travail n'avait pas encore commencé dans le centre d'enrôlement de Sebkha de Nouakchott. Les citoyens avaient commencé à se décourager. Beaucoup de gens qui avaient passé la nuit en place, commençant à se plaindre. Certains dormaient debout même. C'était extrêmement difficile pour ces citoyens qui ne faisaient que chercher à obtenir légitimement et légalement les documents de l'état civil de leur pays. Ceux qu'ils avaient un peu d'énergie avaient quitté, le centre de sebkha pour aller tenter leur chance dans les autres centres d'enrôlement comme celui de Tevragh zéine, ou Ksar. Il y avait même des gens qui avaient quitté leur rang pour aller se reposer un peu sous quelques arbres qui se trouvaient hors du centre. L'ambiance était vraiment délétère. Tout le monde avait le nerf tendu. Juste un tout petit mot pourrait vite dégénérer la situation. Les citoyens ne se parlaient presque pas, chacun avait un regard sombre. Les phrases qui dominaient cette matinée étaient « le Directeur a tardé ou directeur flâneur ». Lamine Mangane, quant à lui, était resté immobile à sa place initiale. Les pensées se bousculaient amphigouriquement dans sa tête, mais il avait préféré le silence total. Il subissait souvent de bousculades musclées, mais il ne réagissait jamais.

À 10 heures 19 minutes, le boss arriva, descendit dans sa voiture et rentra précipitamment dans son bureau. Ainsi la guerre de bousculade fut enclenchée. Lamine Mangane malgré sa taille moyenne, il était obligé de se battre comme il pouvait pour conserver jalousement sa place. Le Directeur de centre fut une irruption et dit à tout le monde qu'il n'avait pas besoin de numéro que les citoyens avaient déjà pour accès dans son bureau et c'était lui-même qui allait donner le numéro à tout le monde. Là encore, la majorité des gens qui avaient passé la nuit sur place n'étaient pas d'accord avec le directeur ; cependant leurs condamnations ne servaient à rien, parce que le boss n'avait pas l'intention de changer sa méthode du travail. En un mot, il demandait à tout le monde de rester sur place. Et sa demande a été exécutée à la lettre par tous.

Il commença d'abord par donner les numéros 1 à 10 aux Beidanes qui étaient arrivés récemment. Puis il se tourna vers les noirs, bref, Lamine Mangane qui avait passé une sale nuit dans ce centre d'enrôlement était le numéro 57 sur la nouvelle liste du Directeur. Il n'était pas content, puisqu'il y avait un grand écart entre son premier numéro et son nouveau numéro. Toutefois, il avait quand même choisi le silence. Kolo Koulibaly et son ami regardaient avec un l'air méprisant ce qui s'était passé devant eux.

Mais, ils ne protestaient pas, on pourrait lire quand même la colère qui enveloppait leurs visages. Le travail avait finalement commencé à 11 heures 04 minutes. Quel retard ! C'était l'heure que les Mauritaniens appelaient communément, heure de business qui avait sonné. Certains noirs nantis venaient tranquillement sans même se soucier à ceux qui étaient sous le soleil et le vent, donnèrent des sommes conséquentes aux agents de sécurité, rentrèrent tranquillement comme si c'était leur domicile, et ils sortirent calmement. Ceux qui étaient de « la haute société » : les Beidanes rentrèrent directement sans le pot-de-vin, sans numéro d'accès et sans même l'autorisation de qui que ce soit. Au même moment les noirs pauvres de Mauritanie crevèrent sous une étouffante chaleur de la journée. Il y avait également des non mauritaniens, c'est-à-dire les Touaregs Maliens qui rentrèrent tranquillement pour se faire enrôler.

Mais si un noir essayait de contester, c'était des agents de sécurité noirs qui l'humiliaient directement sans état d'âme. Quelle injustice !

De plus, le travail battait son plein dans le centre d'enrôlement de Sebkha. Mais c'était les dossiers d'une femme qui venait de ralentir le rythme des travailleurs. Il s'agissait de Fenda Traoré. Cette femme timide était vraiment à bout de souffle. Sa sœur qui venait l'accompagner avait juré devant le Directeur de centre que c'était leur 15e fois de venir sur ce lieu durant ces deux mois avec sa sœur. Et chaque matin, quand sa petite sœur, Fenda Traoré, amenait ses dossiers aux complets. Toutefois, c'était le même Directeur qui prenait ses dossiers, puis il lui remettait sans même lui dire un mot. Mais aujourd'hui, Fenda a décidé de parler.

— Monsieur, s'il vous plaît, je peux savoir réellement ce qui m'empêche de m'enrôler ?

— Je prends, qui je veux, quand je veux, comme je veux, point et barre ! répondit le Directeur de centre avec une voix terne. Et il enchaîna à ces termes, en plus rien ne prouve que tu sois

Mauritanienne. Ici la priorité ce sont les Mauritaniens et les Mauritaniennes. Et les Mauritaniens c'est nous ! Fenda Traoré fut fondue en larmes, avec son visage suspendu dans le vide. Elle tremblait de colère comme un oisillon jeté dans l'océan glacial. Après son stress post-traumatique, elle se dirigea tristement chez elle. C'était dans cette circonstance particulière que le tour de Lamine Mangane fut arrivé. Il y avait plus de 3 personnes qui regardaient méticuleusement les dossiers de celui ou celle qui souhaitait s'enrôler dans les différents bureaux de centre. En tout cas, si le gouvernement mauritanien contrôlait la vie sociale des Négro-Africains de ce pays comme, il contrôle les documents de l'état civil de cette même communauté avant qu'elle soit enrôlée, celle-ci allait vivre tranquillement ici. Ensuite, les dossiers de Lamine Mangane avaient été vite validés par trois enrôleurs : du premier, du deuxième et du 3e bureau ; et c'était seulement le Directeur qui était resté pour apposer sa signature. Avant qu'il prenne ses empreintes, le directeur devint indécis. Néanmoins, il accepta tout de même de prendre les empreintes digitales de celui-ci, mais avec beaucoup d'hésitations. Et Mangane était aux anges, après que le Directeur ait pris ses empreintes digitales. Cependant ce dernier avait fait un revirement inattendu. Il refusa que ce jeune fasse une photo d'identité. Ainsi la joie de ce dernier s'éteignit rapidement et radicalement.

Il demanda à Lamine Mangane, s'il était réellement un vrai Mauritanien. Celui-ci lui répondit par affirmative. Mais, comme le Directeur n'était pas satisfait de sa réponse, il insista sur quelques points.

— Jeune homme, je viens de vérifier minutieusement tes dossiers. Ils sont tous corrects, certes, mais je ne suis pas toujours sûr de ta mauritanité. En effet pour que je sois sûr de tout ce que tu viens de me le dire une bonne fois pour toutes, je veux te poser juste deux questions simples : le premier est la suivante : compte de 1 à 100 en hassanya ! Et la deuxième est celle-ci : récite la sourate fatiha ! Je te donne ma parole, si tu réponds correctement à ces deux questions, tu seras enrôlé sur le champ et tu deviendras automatiquement un vrai Mauritanien.

— Pour répondre à votre première question, je veux vous dire ceci : monsieur le directeur, la Mauritanie est un pays plurilingue et multiethnique donc c'est ne pas facile de parler toutes les langues de ce pays. Certes il y a des gens qui parlent presque toutes nos langues nationales, mais la plupart de ces gens vivent dans des endroits où on peut trouver toutes les composantes du pays. En ce qui concerne mon cas, je suis peul et je suis né et grandi dans la ville de Maghama. Dans cette ville, il n'y a pas beaucoup de Beidanes et je n'ai pas également d'amis arabo-berbères, voilà pourquoi je ne parle pas hassanya.

Pour rebondir vite sur votre deuxième question, si c'était dans le cadre normal, j'allais répondre votre question avec zèle. Pour ne pas être long avec vous, je ne répondrai pas à votre seconde question, car je la trouve injustifiable, injuste, illégale et discriminatoire. Enfin, pour votre information, la langue arabe que vous pensez innée en vous, je la maîtrise bien. La fois passée j'ai été le récipiendaire du concours de la poésie arabe de la région de Gorgol.

— Petit, je n'ai pas beaucoup de temps, soit tu exécutes mes ordres soit tu quittes immédiatement mon bureau !

— Vous pensez que ce pays est à vous, tu fais le malin, sale esclave !

— Ne me traitez pas d'esclave, Monsieur, traiter une personne de l'esclave est punissable par la loi mauritanienne.

— C'est vrai, toi tu n'es pas mon esclave personnel, mais j'en possède douze.

Deux sont avec moi ici à Nouakchott et les huit cultivent dans mes champs de dattes et les deux travaillent dans mon domicile d'Atar. Je suis de la tribu de Simassid. Tu sais, jeune homme, la Mauritanie pénalise l'apologie à caractère esclavagiste ou l'esclavage. Mais en réalité ceux qui votent les lois pour criminaliser la pratique d'esclavage ou l'apologie d'esclavage ont eux-mêmes plusieurs esclaves dans leur maison. Si je te dis esclave, je ne parle pas de ce que les médias occidentaux appellent « esclavage moderne ». Mais je parle d'esclave tel qu'il est défini dans les anciens dictionnaires.

— Monsieur s'il vous plaît j'ai vraiment envie de me faire enrôler, car, le dépôt des dossiers du baccalauréat seront clos bientôt et cette année je suis également le candidat pour ce fameux sésame.

— Waouh, jeune homme, tu es candidat pour le Bac ! Bonne chance et dis-moi, que veux-tu devenir après l'université ?

— Je ne sais pas trop, mais mon rêve est de devenir comme vous : une personne qui a une responsabilité dans son pays.

— Penses-tu vraiment que tu pourras devenir comme moi ? Je veux juste te donner un exemple. As-tu vu l'homme noir, gros, à la casquette noire, la tête légèrement rejetée en arrière qui est juste à côté d'un homme qui est habillé tout blanc ?

— Non, Monsieur.

— Attends que j'ouvre bien la porte, Idrassa Diallo, viens ici immédiatement ! Tu vois cet homme, il est un Peul comme toi, il a bac +5 en ingénierie informatique. Il est juste un simple agent de sécurité ici depuis 3 ans. Ceci dit que même dans l'avenir, quand tu auras Bac+8, tu seras sans doute comme lui. Par conséquent, il ne faut pas que tu sois préoccupé pour le dépôt des dossiers du concours du baccalauréat.

— Vous êtes juste incroyable, Monsieur le Directeur, regardez comment vous venez d'humilier cet agent de sécurité et vous êtes fier de considérer vos semblables comme les sous-hommes. Je suis désolé, mais je viens de comprendre que vous n'êtes pas ici pour travailler, mais plutôt pour nous rabaisser. C'est pourquoi l'administration mauritanienne souffre de l'amnésie imbue. Vous avez tué visiblement nos parents entre 1986 à 1991.

Mais aujourd'hui comme le contexte a changé vous ne pouvez plus faire cela, néanmoins, vous avez trouvé une autre stratégie plus efficace que l'effusion du sang, c'est-à-dire de nous faire les cadavres vivants. Votre réelle mission était de nous supprimer, purement et simplement, sur la carte ethnique de la République Islamique de Mauritanie. Cependant cela ne marchera pas, car l'histoire nous a toujours montré qu'il est impossible de supprimer entièrement une ethnie, quelle qu'en soit sa faiblesse. D'ailleurs, les Allemands ont tenté d'effacer les juifs en

Allemagne, mais leur mission a été vouée à l'échec, les Arabes de l'Irak ont voulu tuer totalement les Kurdes de leur pays, mais cela n'a pas aussi marché. En outre, cette idéologie d'arabisation c'est une idéologie que vous avez importée dans les autres pays arabes comme la Syrie l'Égypte, la Libye et L'Ira et vous savez très bien qu'elle n'a fait que diviser la population de tous ces pays précités. Je ne peux pas dire qu'il n'y a pas d'Arabes dans notre pays, cependant la plupart de ceux qui se disent Arabes ne sont que des Berbères venant du Maroc, de la Tunisie… Mais ce sont les sentiments de complexe identitaire arriviste qui animent ceux qui pensent que tout doit être faire autour de l'arabe comme si l'arabe était une identité spécifique de tous les Mauritaniens. Personne n'est contre la langue arabe et contre l'ethnie arabe néanmoins, il va falloir que vous fassiez la différence entre être Arabe et être Mauritanien, car tous les Arabes ne sont pas de Mauritaniens et tous les Mauritaniens ne sont pas d'Arabes.

— Toc, toc, toc !

— Oui, entrez, dit « Moudire ».

— Directeur, il y a beaucoup de gens qui vous attendent dehors et vous avez pris beaucoup de temps avec ce jeune homme. A dit Ahmed Tislim.

— Ahmed Tislim, dis-moi, est-ce qu'il y a beaucoup de nos parents dehors ?

— Je n'ai pas bien saisi votre question « Moudire ».

— Je veux dire, est-ce qu'il y a beaucoup d'Arabes qui m'attendent dehors ?

— Non, « Moudire ». Il n'y a que des « Kori ».

— OK, comme, il n'y a que des « étrangers », bon petit on continue notre discussion. Je suis tellement gentil. J'aime bien voir dans mon bureau des individus comme vous qui souffrent. Cela me procure un plaisir indescriptible.

Je dirige ce centre depuis 4 ans et je suis tellement heureux de faire souffrir les noirs coriaces qui viennent de l'Europe et qui refusent de me donner beaucoup d'argent pour que je les fasse enrôler.

— Sais-tu pourquoi j'aime voir surtout les négro-africains de Mauritanie dans une situation alarmante ?

— Non, je ne sais pas, Monsieur.

— OK, je m'explique, beaucoup de négro-africains de ce pays, quand ils sont à l'étranger, ils ne font que gâter le nom de la Mauritanie. Certains quand ils demandent l'asile dans les pays européens notamment en France, en Belgique, en Italie ou dans les pays américains comme aux États-Unis d'Amérique, au Canada... ils montent des dossiers qui sont incompatibles de la réalité sociale, politique et économique de ce pays. Certains disent que la Mauritanie est un pays le plus esclavagiste au monde alors que même dans le pays comme les États-Unis, il y a beaucoup d'actes de racisme qui sont pires que l'esclavage. Combien d'Afro-Américains sont tués à cause de la couleur de leur peau chaque année aux États-Unis ? Je pense à Trayvon Martine 2012, Eric Garner 2014, Walter Scott 2015 et Gorge Floyd 2020. Dis-moi entre 2012 à 2020 quels sont les noms de noirs qui ont été tués dans ce pays à cause du racisme ? Pour ton information juste il y a quelques semaines de cela, j'avais refusé de faire recenser 7 immigrés. Effectivement, c'était des Mauritaniens qui travaillaient en Europe et moi je les considère comme les non-Mauritaniens. J'ai appris qu'ils ont perdu tous leurs titres de séjour européens. Cela est une bonne nouvelle pour moi, car je ne comprends pas pourquoi vous, vous aimez trop aller en Europe surtout en France alors qu'ici en Mauritanie, il y a beaucoup de travail.

— Monsieur le directeur, attendez un peu ! Juste en 2023, trois noirs ont été tués dans notre pays à cause du racisme notamment : Souvi Ould Chein, Oumar Dillo et Mohamed Lemine Ould Samba. En plus, nous aimons tellement ce pays, car même ceux qui partent à l'étranger tout ce qu'ils trouvent, comme les biens matériels, ils ramènent ça ici. Personne peut dire le contraire, les immigrés contribuent financièrement pour le développement économique de ce pays. Maintenant, c'est à moi de vous poser quelques questions. Comment voudriez-vous qu'on reste dans ce pays alors que vous refusez de nous faire enrôler sans motif valable ? Comment voudriez-vous qu'on reste dans ce pays alors que vous nous traitez, des étrangers de l'intérieur ? Combien de gens ont perdu leur emploi à cause de ce recensement à caractère raciste et discriminatoire ? Combien de Mauritaniens noirs de l'étranger sont devenus des apatrides à cause de cet assassinat biométrique à caractère négrophobe ? Combien d'élèves négro-africains de la Mauritanie, qui avaient la soif d'apprendre, ont quitté l'école à cause de votre politique de la liquidation de la jeunesse noire ? Dites-moi s'il vous plaît ! Combien ? D'ailleurs, je suis moi-même victime, car vous avez refusé de me faire enrôler à cause de vos questions insensées. J'ai mes deux amis qui m'attendent dehors. Ils sont tous des docteurs. Ils sont là depuis quelques années, cependant ils n'ont pas trouvé du travail alors qu'ils se sont postulés un peu partout. Kolo Koulibaly m'a toujours dit que depuis la deuxième moitié des années 60 que le gouvernent mauritanien avait mis en place une politique ségrégationniste pour radier les noirs dans la fonction publique en introduisant l'arabisation forcée dans le système éducatif du pays. Nous les négro-africains de ce pays, nous ne sommes pas contre l'arabe d'ailleurs cette langue est celle du saint coran et tout musulman doit aimer cette langue, car chaque jour en priant on parle cette belle et riche langue. Toutefois, entre nous et vous, nous n'avons pas le problème de langue. Entre vous et nous, notre vrai problème, c'est le problème d'ordre culturel. Nous, nous sommes des Négro-Africains ; nous avions nos langues et nos cultures. Mais vous, vous voulez nous imposer la culture arabo-berbère comme si nos cultures n'avaient aucune valeur. Je sais qu'il y a des Beidanes dans ce pays qui ont une pensée positive pour une Mauritanie plurielle. Je sais qu'il y a les Arabo-Berbères dans ce pays qui ne songent que pour qu'il y ait l'égalité entre toutes les ethnies du pays. Cependant, ils sont minoritaires. La plupart, quand ils sont devant les médias nationaux ou internationaux, nous donnent l'impression que la Mauritanie est un pays le plus démocratique du monde alors qu'ils ont la haine séculaire pour les noirs de ce pays. Certains pensent même que la seule façon de diriger un pays multiracial c'est d'adopter une politique discriminatoire sans penser à ce que cela pourra engendrer dans le futur.

Pour éviter le chaos dans le futur, ce serait mieux de donner la même opportunité à toute la jeunesse du pays. Hélas vous, vous avez choisi la politique discriminatoire pour nous faire taire ; nous les noirs de ce pays. Mais ce favoritisme est un danger pour notre pays, c'est ainsi que mon oncle disait : « la discrimination est un cancer qui tue progressivement la république ». Depuis que ce recensement raciste a commencé, beaucoup de gens ont été grièvement blessés dans différentes manifestations ; d'autres ont perdu leur travail. Trois personnes sont déjà mortes par la crise cardiaque, car leurs dossiers ont été rejetés plusieurs fois sans raison claire. Ce n'est pas tout, un jeune est tombé sous la balle d'un gendarme parce qu'il avait osé dénoncer ce recensement discriminatoire par la voie de la non-violence. Pensez-vous que les sangs de ces martyrs effaceront facilement dans la mémoire de la future génération comme si rien n'a été fait ? Pensez-vous que les sangs de ces braves hommes et femmes sécheront facilement dans le temps et dans l'espace ? Laissons le temps, au temps, mais l'histoire nous a toujours prouvé que, quel que soit le retard de la vérité, elle jaillira un jour. Aujourd'hui, vous avez la force et vous contrôlez parfaitement la situation, mais demain, c'est pour Dieu.

— Aie, aie, aie, venez vite, il est en train de me frapper ici !

Les policiers pénétrèrent dare-dare dans le bureau du Directeur de centre, menottèrent Lamine Mangane et le mirent manu militari dans leur voiture. Ce jeune garçon de 17 ans, menotté aux poignets et aux pieds, comme s'il venait d'assassiner le président de la République, était malmené par les policiers. On le tirait comme s'il était un ballon rond. Il gisait dans une mare de sang et personne ne se souciait de son état de santé. Il était presque mourant. Arrivant au commissariat de Sebkha, la descente aux enfers recommença. Deux policiers négro-africains de Mauritanie étaient chargés de le bastonner. Deux policiers noirs avec leur physique de baroudeur ont été sélectionnés pour cette sale besogne. Il a été tabassé jusqu'à ce qu'il ne bougeait plus. Finalement, le commissaire en personne appela l'ambulance, car son état de santé était trop critique. Il avait frôlé la mort en justesses, car il a été directement conduit aux urgences.

Quand sa mère eut appris la triste nouvelle, elle fut directement allée à l'hôpital. Mais les autorités lui avaient interdit de voir son propre et unique fils. Elle essayait dans un premier temps de négocier avec les policiers. Mais toutes ses tentatives ont été avouées à l'échec.

Face à cette situation insupportable, elle eut fait un malaise, tomba et sa tête percuta une grosse pierre. Elle fut conduite cette fois-ci non seulement dans le même hôpital que son fils, mais dans la même chambre que lui. Quand les autorités eurent su qu'elle partagea la même chambre que son fils, elles demandèrent aux infirmiers de la déplacer. Et ils exécutèrent sans résistance les ordres de ces dernières. Malheureusement, le pronostic vital de la mère de Lamine Mangane était engagé. Quelques jours plus tard, Lamine Mangane a quitté l'hôpital. Il est parti finir sa convalescence dans la prison. Il a été jugé et emprisonné 5 ans de prison ferme pour les violences volontaires sur personne dépositaire de l'autorité publique. Son avocat avait qualifié ce jugement d'opaque et d'injustifiable. Son recours a été rejeté sans appel. Une semaine après son jugement, sa mère tira sa révérence au Centre Hospitalier de Nouakchott par le traumatisme crânien. Quand cette douloureuse nouvelle fut propagée sur les réseaux sociaux, ce fut vraiment une seime médiatique. 24 heures après la mort de la mère de Lamine Mangane, les noirs et les blancs de Mauritanie ont été manifestés un peu partout dans le monde.

À Nouakchott certains manifestants avaient même décidé de marcher sur le palais présidentiel. Malheureusement, il y avait eu deux morts, quatre-vingt-dix blessés, dont quatorze blessés graves, sans oublier six cents interpellations musclées. À l'étranger notamment en France, il y avait eu plus de 40 000 manifestants de Mauritaniens blancs et noirs, aux États-Unis, 3800 Mauritaniens ainsi que 1800 afro-américains ont fait front commun pour condamner la mort de cette femme sans oublier en Belgique, en Italie, en Espagne, au Sénégal, au Mail, en Gambie, au Congo-Brazzaville, au Congo démocratique, en Angola. Tous ces pays précités avaient montré leur mécontentement par des manifestations musclées concomitamment le 3e jour de la mort de maman de Lamine Mangane.

C'était la première fois dans l'histoire de la Mauritanie moderne que tous les Mauritaniens de toutes les races et de toutes ethnies étaient mobilisés par tout dans le monde contre le racisme.

Ainsi cela venait de prouver encore qu'en Mauritanie, il n'y en avait pas la haine visible entre les noirs et les blancs. Mais c'est l'État qui utilisait toutes sortes de méthodes pour séparer en premier temps les noirs et les blancs en les marginalisant sur le plan politique, social, économique, éducatif et religieux. En second lieu, c'est le même État qui faisait tout pour séparer les noirs eux-mêmes.

C'était après cette grande manifestation que les jeunes noirs mauritaniens avaient décidé de créer un mouvement dénommé « la Mauritanie d'Abord ». Ce mouvement a été créé, une semaine après la mort de la mère de Lamine Mangane. Il prônait l'unité nationale et l'égalité entre tous les Mauritaniens. Les figures de proue de ce mouvement étaient : Kolo Koulibaly le Président, Cheikh Diop le Vice-président, Ismaël Thiam le Secrétaire général, Bouba Keita le Trésorier et, Bilal Ould Bilal le Porte-parole. Au début, personne ne calculait ce mouvement. Mais aujourd'hui, leur cote de popularité continue de grimper, car ce dernier temps, ils ont fait des actions remarquables dans la capitale. Au commencement de leur mouvement, ils trouvaient facilement des audiences pour propager leur idéal de vivre-ensemble dans des médias privés ou même gouvernementaux. Mais comme leur mouvement avait commencé de faire trembler les autorités publiques, ils ne trouvaient plus des audiences que ça soit dans les radios ou les télévisions privées ou celles de l'État.

En plus, ils avaient même déposé, leurs dossiers pour l'ouverture d'une chaîne de la radio privée. Leurs dossiers avaient été systématiquement rejetés par la Haute Autorité de l'Audiovisuel et de la Presse. Hélas, rien n'avait été fait à leur égard, comme d'habitude ; depuis les indépendances à nos jours, tous les pouvoirs qui s'étaient succédé ont toujours adopté la politique de la marginalisation des cultures négro-africaines de Mauritanie.

Ce qui dérangeait ces jeunes, chaque fois bien même avant eux, quand les Négro-Africains de ce pays ou les noirs tout court venaient déposer leurs dossiers pour l'ouverture d'une radio ou une télévision privée, leurs dossiers étaient toujours systématiquement bloqués. Au même moment, des radios privées et des télévisions privées de Beidanes poussaient comme de champignons un peu partout dans le pays. Face à cette injustice piquante, que certains intellectuels des couches défavorisées de la Mauritanie avaient essayé de créer des sites web pour conscientiser le peuple ; mais une fois que les autorités étaient mises au courant, elles censurent méthodiquement ces médias sociaux.

Comme les autorités mauritaniennes ne voulaient même pas que les parents de Lamine Mangane aillent lui rendre visite en prison, le mouvement de la Mauritanie d'Abord avait décidé d'organiser une grande manifestation baptisée « manifestation pour la dignité de l'Homme noir ». Cette mobilisation s'articulera autour de deux points. Le premier sera, la libération immédiate et sans condition de Lamine Mangane qui croupissait sans raison dans la prison centrale de Nouakchott, après une parodie de procès. Et le deuxième point sera de manifester pour honorer la mémoire de sa mère qui est morte d'ailleurs à cause de l'injustice. Mercredi 27 septembre 2023, la température était extrêmement élevée à Nouakchott. Elle était grimpée jusqu'à 44 degrés. C'était vers 12 heures 12 minutes que le cortège de la manifestation pour la dignité de l'Homme noir sous la houlette de son président Kolo Koulibaly s'était dirigé vers la place de la liberté de Nouakchott. Les buts des manifestants étaient d'aller montrer leur mécontentement aux autorités publiques devant le palais présidentiel. Comme les policiers mauritaniens savaient le faire, il y avait un cordon de sécurité impressionnant autour des manifestants ; c'était comme si la Mauritanie était attaquée par des rebelles armés jusqu'aux dents. Ainsi les policiers étaient aux aguets : les gaz lacrymogènes, les matraques étaient déjà prêts à être utilisés. Le comité d'organisation de cette manifestation travaillait d'arrache-pied pour éviter le pire, car si ça se dégénérait, c'était les manifestants, qui paieraient un lourd tribut. Mais la tâche était immense, car le comité d'organisation ne s'attendait pas à cette marée humaine.

En outre, les manifestants n'étaient pas seulement les noirs, il y avait également les Beidanes de bonne volonté qui avaient soif d'égalité et de justice pour ce pays. Il y en avait des pancartes partout ; on pourrait lire sur les banderoles : « tous pour tous les Mauritaniens, et non pour les minorités mauritaniennes », « nous volons une Mauritanie plurielle » ou encore « la justice pour Lamine Mangane ». Le président Kolo Koulibaly avait fait un discours mémorable devant cette foule immense. Chaque mot qui sortait de sa bouche était accompagné par un tonnerre d'applaudissements.

Après le fameux discours du président, les manifestants étaient surexcités. Il y en avait des cris partout et tout le monde chantait à chœur la chanson de la liberté qui a été créée par le président du Mouvement en personne. Cette chanson, les jeunes l'adoraient bien. Chaque fois que le comité d'organisation demandait aux gens de se calmer, car le Secrétaire du Mouvement avait quelque chose à ajouter, les adultes essayaient de se calmer, mais les jeunes préféraient chanter ensemble pour donner une image incroyable à leur manifestation. Enfin, ils avaient décidé très tard de donner la parole à Ismaël Thiam. Quand ce dernier fit clôturer la journée de manifestation par les mots d'amour et de la paix, tout le monde commença de se disperser pour rentrer chez eux.

Soudain, l'inattendu se produisit, les deux policiers noirs jetèrent concomitamment deux gaz lacrymogènes sur les différents groupes des manifestants et subitement la panique s'installa dans la place de la liberté de Nouakchott. Les gens coururent dans tous les sens. Les plus faibles tombèrent comme des mouches et les plus forts marchèrent sur eux. Les leaders de ce mouvement tentèrent de calmer les gens comme, ils pouvaient. Mais c'était déjà trop tard, car certains jeunes avaient commencé à jeter le projectile et le cocktail Molotov aux policiers. Et eux aussi ne tardèrent pas à riposter de manière foudroyante. Le bilan des dégâts humains était lourd. Il y avait 400 blessés, dont 127 blessés graves. Heureusement, il n'y avait pas eu de mort. Les leaders de ce mouvement ont été tous arrêtés ainsi que d'autres partisans et sympathisants. Durant le deuxième jour de leurs arrestations, le procureur de la République avait qualifié, les arrestations des leaders de ce mouvement comme « une aubaine pour sauvegarder la paix durable en Mauritanie ».

Les leaders moins connus du grand public ont été libérés quelques jours plus tard. Par contre, la descente aux enfers avait commencé pour les leaders connus du mouvement de la Mauritanie d'Abord.

Les arrestations des chefs de ce mouvement avaient eu un nouveau tournis, car beaucoup de pays africains et étrangers avaient condamné en boucle toutes les semaines qui suivaient leurs arrestations par les différents communiqués. Les policiers avaient arrêté également les hommes politiques pour voir s'il y avait eu une connivence entre eux et ces jeunes.

Après les arrestations des chefs de ce mouvement, les manifestations s'étaient intensifiées davantage partout dans le pays. Le pays était sens dessus dessous, car beaucoup de bandits, profitaient de la situation sociale fragile du pays pour piller les commerçants Beidanes qui étaient dans les quartiers majoritairement noirs comme 5ᵉ et, 6ᵉ ou encore Basra... « Je n'ai rien fait et je ne suis pas contre votre manifestation, car je sais que vous réclamez vos droits, mais je ne comprends pas pourquoi vous êtes en train de prendre tout ce qui est nécessaire dans ma boutique ? » avait lâché sans succès un vieil homme Beidane de sexagénaire dans le marché du quartier de 5ᵉ de Nouakchott. Un phénix qui venait de sortir avec deux sacs de riz de 50 kilogrammes de bonne qualité dans la boutique de cette même personne dit : « Grand-père je suis désolé pour vous, mais vous êtes juste parmi les dommages collatéraux de cette crise sociale que notre pays fait face. » Au même moment, certains noirs agressaient physiquement tous les Beidanes qui étaient dans les quartiers noirs. Toutefois, certains noirs de bonne foi faisaient tout ce qui était humainement possible pour protéger les Beidanes. Certains les cachaient dans leurs maisons, tandis que d'autres appelaient la police pour qu'ils leur viennent à l'aide. Dans les quartiers chics du pays comme Ksar, Cité Plage ou Tevragh Zeine, tout allait bien entre les différentes communautés du pays. En réalité, c'était les groupes de criminels et de voleurs qui avaient saisi l'occasion de la vulnérabilité du climat social pour montrer leur capacité d'intervention et de nuisance dans les différentes boutiques de Beidanes.

Néanmoins, comme la manifestation a été organisée par le mouvement de la Mauritanie d'Abord, le gouvernement avait accusé ce mouvement à être le cerveau de tous les pillages et de toutes les agressions qui ont été faits dans la journée de mercredi, 27 septembre jusqu'à dimanche, 02 octobre 2023 à Nouakchott et à l'intérieur du pays. Ainsi le gouvernement avait mis le pendule à l'heure, et la chasse aux sorciers commença. Comme les leaders étaient déjà aux arrêts, les policiers arrêtaient également les parents ou les proches de ces leaders, malgré la vive critique de l'opinion nationale et internationale. Ces derniers ont été vite libérés provisoirement par les autorités publiques. Mais le procureur de la République Islamique de Mauritanie avait affirmé avec fougue que les coupables de ce qu'il avait qualifié des perturbateurs de l'ordre public seraient punis sévèrement conformément à la loi en vigueur.

Chapitre 5

Après une semaine de garde-à-vue, la police mauritanienne, conduite sous une haute tension, les cinq leaders du mouvement de la Mauritanie d'Abord dans un endroit inconnu du grand public. Les bandeaux noirs enveloppèrent leurs visages comme s'ils étaient des prisonniers de Guantanamo. Des centaines de mécontents suivirent courageusement les véhicules de policiers qui les transportaient. Mais quand ces véhicules étaient sortis complètement de la ville de Nouakchott, tout le monde se retourna désespérément. Les véhicules roulèrent deux nuits sous une chaleur suffocante quelque part dans le désert mauritanien. Les désormais prisonniers d'opinion furent tellement exténués. Ils ne se parlèrent guère, car chacun fut dans les différentes voitures que l'autre. Ils eurent eu soif et faim, mais personne n'eut pitié d'eux. Arrivant au milieu de nulle part dans le désert mauritanien, le cortège de voitures de la police s'arrêta devant le seul bâtiment qui existait sur ce lieu. Quelle triste surprise ! Sur le fronton de ce bâtiment, c'était mentionné en arabe et en français « La Prison de la Mort ». Les policiers enlevèrent brutalement les bandeaux qui enveloppaient leurs visages et leur demandèrent de lire ce qui était écrit en face de la prison. Ces jeunes innocents ont compris alors la gravité de la situation dont ils faisaient face. La plupart parmi eux tremblèrent sans cesse. Cependant, Kolo Koulibaly et Ismaël Thiam n'avaient pas la peur au ventre au contraire, ils étaient très en colère contre les policiers ; ils exécutaient toujours en retard ce que ces limiers leur demandaient. Contrairement aux autres qui obéissaient à la lettre à ce qu'on leur disait.

En outre, une fois que ces jeunes pénétrèrent en prison, les gardiens de cette geôle ordonnèrent à chacun d'eux d'ôter leurs vêtements ; et d'habiller la tenue bleue de la prison. La deuxième décision que leurs bourreaux ont prise fut de supprimer leur nom. Oui d'effacer carrément leur nom et leur prénom. Cette technique permettait à ces derniers d'oublier leur côté humain. Comme ça, ils devenaient automatiquement des numéros en d'autres termes des choses abstraites et non des personnes. Ainsi, ils devaient être traités comme des bestiaux jusqu'à ce que la mort s'ensuive. Aussitôt, ils furent confinés en isolement total dès le premier jour de leur incarcération. Chacun d'eux était dans sa cellule, très sale et très miniature.

Dans ces différentes cellules, il y avait ni la douche ni la toilette et il y avait même pas au moins une toilette publique pour tous les prisonniers. C'était juste un désastre total. Du coup, chacun faisait ses besoins naturels dans sa cellule. Et certains parmi eux utilisaient leurs selles pour écrire leurs souffrances. Ces cellules n'avaient également pas de fenêtres. Il faisait extrêmement chaud à l'intérieur et elles n'avaient pas d'électricité donc, les prisonniers ne faisaient pas la différence entre le jour et la nuit. Kolo Koulibaly quant à lui avait vu son supplice augmenter davantage, lorsqu'il a été transféré à la fameuse cellule 34 ; car Ahmed Ould Djidou, le Secrétaire de la prison avait estimé que le bas de porte de sa première cellule était rongé par la rouille laissant passer de l'air et quelqu'un pourrait lui glisser de la nourriture et de l'eau, c'était pour cette raison, qu'il avait décidé de lui mettre dans une cellule invivable pour qu'il souffre plus. Quand le Secrétaire de la prison lui conduisait dans sa nouvelle cellule, ce dernier discutait tranquillement avec lui comme s'ils étaient de vrais amis de longue date. Le président du MMA avait un regard serein et calment même, s'il savait clairement qu'il se dirigeait tout droit vers sa tombe. En effet, dans cette prison de manière générale, les prisonniers avaient juste droit à un seul repas pendant 24 heures. Ce plat était une boîte de conserve de sardines et un morceau de pain. Les règles étaient strictes et personne ne pourrait changer cette sale habitude. Pour manger, un prisonnier n'avait que trois minutes. S'il ne terminait pas pendant ce laps de temps, les gardiens de prison avaient le plein droit de récupérer son plat.

En plus, les policiers de ce centre pénitentiaire étaient tous maigres comme des bâtonnets, mais méchants comme de léopards. Leur principale mission était de snober surtout les prisonniers du mouvement de la Mauritanie d'Abord. Le chef de ce centre était l'ennemi juré de la France. Il disait que ce mouvement n'était rien d'autre que l'œil de la France en Mauritanie. Tellement il ne portait pas la France dans son cœur, il détestait même de s'exprimer dans cette langue. Et pourtant, il la maîtrise bien. C'était pour cette raison qu'il avait juré de transformer, les crânes de ces jeunes en une vase dans quelques jours, car selon lui toujours, ce jeune voulait faire de la Mauritanie la base arrière de la France.

Même si la situation de ces prisonniers était déjà infernale, le directeur de ce centre demandait à ses subalternes de faire souffrir davantage ces jeunes jusqu'à ce qu'ils disent toute la vérité sur leur mouvement et leurs ambitions.

Les séquences de la torture physique et morale étaient divisées en plusieurs séances. Tout d'abord, chaque matin, vers 6 heures 5 minutes, la descente aux enfers commençait juste après la prière du matin. Chaque leader du mouvement de la Mauritanie d'Abord était occupé par 4 policiers haratins. Ils prenaient les deux bras de leur prisonnier, les ramenaient derrière son dos, puis ils tiraient mordicus au niveau du coude jusqu'à ce que les deux coudes se rejoignent simultanément. Puis, ils attachaient les pieds avec la même corde et soulevaient ce dernier, ensuite les coups de matraque pleuvaient comme la pluie diluvienne sur le corps de ce celui-ci. Tellement ces policiers étaient sadiques, ils aimaient voir les prisonniers dans le supplice. C'était le seul moment qu'ils souriaient jusqu'aux oreilles. Comme, si cela ne suffisait pas, ils filmaient également en boucle la scène avec leur Smartphone. Juste après cette séance, ils passaient automatiquement à la technique d'interrogatoire renforcée. C'était le moment le plus dur pour les prisonniers, mais aussi le moment le plus agréable pour les tortionnaires. Tout prisonnier qui refusait de répondre correctement aux questions de policiers était passé directement à la méthode de « waterboarding ». Cette technique permettait aux policiers de faire noyer la tête de chaque prisonnier dans une baignoire pour qu'il parle. C'était le moment où certains prisonniers disaient tout et n'importe quoi pour éviter cette méthode à la Guantanamo. Au-delà des violences physiques, qu'ils déchargeaient sur les prisonniers du MMA, il y avait aussi les séances destinées aux violences psychologiques.

Cette session d'autocritique avait pour but d'abord de faire reconnaître ses propres erreurs, d'accuser ses amis, puis de faire une allégeance du parti au pouvoir. Cette séance était tellement complexe. Souvent, un policier pénétrait inopiné dans la cellule d'un prisonnier et le demandait de reconnaître son tort pour lui donner un plat bien garni. Parfois c'était le Directeur du centre en personne qui allait dire à un de ses prisonniers que le prisonnier numéro tel a insulté la mère du prisonnier numéro tel. Et si celui-ci ne réagissait pas, c'était lui-même qui traitait ce prisonnier de tout le nom.

Enfin, après ces séances, les prisonniers allaient travailler dans le champ du Directeur de centre pénitentiaire 3 fois par semaine. Mais Kolo et Ismaël refusaient catégoriquement de faire ce travail.

Chaque fois qu'ils refusaient, ils étaient battus et punis sévèrement par le Directeur de ce centre en personne. Un jour quand celui-ci demanda pour quelle raison ils ne voulaient pas aller travailler dans son champ comme les autres prisonniers, Thiam lui répondit en ces termes : « je préfère mourir dans la souffrance la plus atroce dans la dignité plutôt que de vivre aisément dans l'indignité ». En effet Kolo et Thiam faisaient correctement les travaux légaux qui étaient assignés aux prisonniers. Mais ce qu'ils ne voulaient pas c'était d'aller faire un travail qui violait le droit de prisonniers.

Les mois passés, toujours rien n'a été fait pour que ces jeunes aient au moins un procès. Ils étaient arrêtés et emprisonnés sans même qu'ils fussent jugés. La prison de la mort avait métamorphosé ces jeunes. Ils étaient devenus trop maigres, une barbe entourait leurs visages et même leurs voix ont changé. Ils ne recevaient jamais les visiteurs. Chacun d'eux avait une forte envie de dire au moins bonjour à ses proches qui forcément étaient inquiets de leur kidnapping. Puis chaque jour qui passait leur condition de la détention s'endurcissait.

C'était pour cette raison qu'ils avaient décidé de faire la grève de la faim. Ils avaient fait 3 jours sans manger ni boire. Mais le Directeur en personne leur avait demandé d'arrêter, car selon lui, un prisonnier n'avait pas le droit de grever et il avait conclu en disant que « tout celui qui n'arrêtera pas de grever, sera pendu haut et court ». Cette phrase mystérieuse avait fait peur à ces jeunes à l'exception de deux : Koulibaly et Thiam avaient refusé d'obéir à son ordre. Ils continuaient difficilement leur grève. En tant que juriste, Thiam maîtrisait le droit des prisonniers du bout des doigts et était convaincu que tout prisonnier avait bel et bien le droit de faire la grève de la faim. D'ailleurs c'était pour cela qu'il avait encouragé ses amis à le faire, mais seul Kolo Koulibaly lui avait suivi.

Au septième jour de leur grève de la faim, ils avaient réussi, un visiteur de marque : le haut représentant de Nations Unies de l'Afrique de l'Ouest.

Ce jour-là, c'était leur première fois qu'ils prenaient le bain, là encore Kolo et Ismaël avaient catégoriquement refusé de se laver. Le Directeur de la prison en personne leur avait cuisiné un bon plat de la viande du mouton ; une viande dont ils n'avaient même pas senti l'odeur depuis qu'ils étaient arrivés là.

Kolo et Ismaël ont choisi leur boîte de la conserve de sardine et leur morceau de pain comme d'habitude. Ils étaient tous coiffés, sauf les deux coriaces jeunes garçons. Avant que ces prisonniers aient une conversation avec le haut représentant des Nations Unies de l'Afrique de l'Ouest, leur directeur leur avait demandé respectueusement de dire ce qu'il devrait être et non ce qu'il est. Cette fois-ci, tout le monde était unanime de satisfaire l'exigence de leur Directeur. Cet homme était content de voir pour la première que tous ces prisonniers obéissaient avec zèle sa décision. Il se sentait puissant, trop confiant et fier de lui-même. C'était pour cela qu'il avait promis à tout le monde qu'il allait non seulement assouplir leurs conditions de détention, mais ils seraient également libérés dans le futur proche s'ils parvenaient à dire le contraire de ce qui se passait dans cette prison au Haut Représentant de l'ONU.

Une fois que le Haut Représentant des Nations Unies de l'Afrique occidentale demanda les situations des prisonniers du Mouvement de la Mauritanie d'Abord ; Kolo a voulu commencer de parler. Mais, il a été stoppé net par leur Directeur ; malgré son insistance. Ce dernier donna la parole à Cheikh Diop. Celui-ci refusa de parler. Soudain le Directeur devint perplexe sous le regard suspicieux de ce cadre supérieur de l'Organisation des Nations Unies. Il passa la parole à Bilal Ould Bilal ; il resta bouche bée. Kolo demanda à nouveau de parler au Directeur de la prison. Cependant, ce dernier refusa catégoriquement ; il se tourna vers Ismaël et lui passa la parole. Néanmoins celui-ci passa la parole à son président. Et le directeur riposta à nouveau. Alors, la personnalité des Nations Unies s'interposa et demanda, sous l'autorisation du Directeur de la prison, de laisser Kolo Koulibaly parler. Il acquiesça difficilement. C'est dans ce climat plutôt polaire que Kolo Koulibaly prit la parole :
« Bonsoir à tous, Monsieur le Haut Représentant des Nations Unies de l'Afrique de l'Ouest, je vous souhaite la bienvenue. Nous sommes heureux de vous recevoir, car, quels que soient les inconvénients de votre organisation, elle a aussi beaucoup d'avantages.

Je sais que votre organisation ne pourra jamais régler tous les problèmes cruciaux de ce monde, mais elle pourra quand même régler quelques-uns parmi tant d'autres. C'est dans le même cadre d'idée que le deuxième Secrétaire général de votre organisation de l'époque, le Suédois Dag Hammarskjöld, affirmait : "L'ONU n'a pas créé le paradis, mais elle a évité l'enfer." Comme votre rôle est d'éviter au peuple de s'engouffrer dans l'enfer, j'aimerais vraiment que vous nous aidiez à sortir de là, car ici, c'est le pire enfer que je n'ai jamais connu dans ma vie. Nous étions arrêtés arbitrairement après avoir organisé une manifestation pacifique. Ceci dit, si nous sommes là aujourd'hui c'est juste parce que nous avons eu le courage de réclamer nos droits les plus élémentaires. Nous avions manifesté pour que notre ami qui a été emprisonné sans un procès équitable soit libéré. Nous sommes là, car notre combat s'articule sur la justice sociale en Mauritanie. Nous sommes là parce que nous, nous avions manifesté pour honorer la mémoire de toutes personnes qui sont mortes à cause du recensement à caractère discriminatoire mis par ce pouvoir raciste. En rentrant ici, on vous a réservé un accueil chaleureux. Vous savez pourquoi, Monsieur ? C'est juste pour vous montrer que dans cette prison tout est beau. Ces gens-là sont des spécialistes de l'opération de séduction massive devant une personne qui peut le mettre en danger surtout sur le plan juridique. Concernant nos conditions de la détention, je vous demande de m'écouter attentivement. En effet, aujourd'hui c'est notre 150e jour. 150 jours pendant lesquels on a subi toutes sortes d'humiliations. 150 jours durant lesquels on n'a droit qu'à un seul repas : une boîte de conserve de sardines, un morceau de pain et un demi-litre d'eau. 150 jours durant lesquels nous ne sommes jamais lavés. Cet homme que vous voyez devant vous, je veux dire que le Directeur de ce centre pénitentiaire est le plus grand tortionnaire de ce pays. Il ne sourit que, quand il voit son prisonnier tétaniser. Pour nous pousser à vous mentir aujourd'hui à la surprise de tous, c'est lui-même en personne qui avait cuisiné un repas que je n'ai jamais mangé depuis que je suis là. C'est son coiffeur personnel qui avait coiffé mes amis aussi. Tout cela c'est pour vous faire croire que nos conditions des détentions sont acceptables. Regardez vous-même mon aspect physique. Ma forme physique parle d'elle-même. Nous avons Sibu également des tortures physiques et psychologiques insupportables.

Il avait même utilisé sur nous la technique du simulacre de noyade, une technique que les militaires américains avaient développée sur les présumés terroristes après le 11 septembre 2001. D'ailleurs un jour j'avais perdu la connaissance durant 31 minutes pendant cette torture. Au lieu de me soigner, ils m'ont juste laissé coucher sur place jusqu'à ce que j'aie repris ma conscience. De fois, ils nous attachent comme des esclaves tout en nous frappant avec des objets contondants surtout quand on refuse de travailler dans le champ personnel de ce Directeur.

Ensuite, tout le temps, il nous disait que nous ne sommes pas leur frère et nous n'avons rien en commun avec eux. Et nos frères se trouvent en Afrique noire et les leurs en Afrique blanche ou en Asie. Ils nous traitent quotidiennement des Israéliens noirs. Il nous disait que nous étions des Israéliens et que nous voulons les coloniser comme les juifs veulent coloniser les Arabes de la Palestine. Ce qui était bizarre quand même, certains policiers maures noirs aussi avaient le même paradigme qu'eux. Et chaque fois que Thiam et moi refusions de faire son travail champêtre, il disait : "Je vais vous vendre aux médecins légistes ou aux anatomistes américains, et ils vont vous cryogéniser." Au début, je ne connaissais pas le sens de ce mot, du coup, je le prenais à la légère. Mais c'est aujourd'hui même que mon ami Diop m'a expliqué le sens de ce mot et là je me sens vraiment choqué.

J'ai compris que ces gens-là sont de vrais épistémicides. Pour conclure, je sais que tout ce que je viens de vous divulguer sera retourné contre moi et je serai torturé, et peut-être même que je mourrais ici. Cependant, je vous demande respectueusement de prendre votre agenda, d'écrire les numéros de nos proches, une fois que vous serez à Nouakchott, vous leur tiendrez au courant de notre situation. Peut-être qu'ils pensent déjà que nous sommes morts, car depuis que nous sommes ici, nous n'avons aucun contact avec le monde extérieur. »

Quand Kolo a fini de parler, le Haut Représentant de Nations Unies, Monsieur Ronald a salué son courage. Et il a assuré à tous les prisonniers qu'il fera tout ce qui est légalement possible pour que chaque prisonnier ait ce qu'il mérite selon les règlements internationaux.

Il avait annoncé également l'arrivée d'une autre équipe onusienne très prochainement dans cette prison. Monsieur Ronald avait enfin pris le contact des parents de chacun de prisonnier et s'en alla.

Après le départ de celui-ci, les conditions des détentions de tous les prisonniers dans ce mouroir ont été largement assouplies. Tous les leaders du Mouvement de la Mauritanie d'Abord avaient quitté leur cellule de la mort pour une salle moins spacieuse. Cette fois on les avait mis ensemble. Les travaux forcés et les séances de tortures ont été tous ajournés. Même leur repas routinier avait été modifié.

À la place de sardine et du pain, ils prenaient souvent le spaghetti avec peu de viande ou du riz avec le poulet. Au lieu d'un seul repas, il avait augmenté le petit déjeuner. Le demi-litre d'eau pour chacun pendant 24 heures a été remplacé par trois litres pour 24 heures. Ils avaient le droit d'aller à la toile publique librement. Le directeur de centre était devenu plus souriant qu'à l'époque. Mais la volte-face du Directeur de cette prison laissait le doute aux cœurs de tous les prisonniers. Même s'il était devenu affrontable et fréquentable, les détenus se méfiaient de lui, car personne ne comprenait sa réelle motivation. Il essayait tout de même de rassurer ses prisonniers en disant que l'heure de la paix avait été sonnée. Malheureusement, tout le monde prenait cette information aux pincettes.

C'était un soir d'été, la température diurne dépassait 43 degrés. Il y avait une étouffante chaleur dans ce mystérieux endroit. Tout été sec dans ce désert loin de la nature. Les prisonniers étaient assis désespérément dans leur cachot. Le directeur de centre et son subalterne pénétrèrent dans la salle où se trouver les leaders du Mouvement de la Mauritanie d'Abord. Le directeur prit place à côté de Thiam. Son subalterne, qui avait porté le seau à sa main gauche et le gaz de butane à sa main droite, les déposa puis ressortit et revint incessamment cette fois-ci avec un paquet de thé de marque Dawas, et demi-kilogramme de sucre. À sa main gauche, il avait la théière et les verres. Il se mit à l'aise sur la peau du mouton. Après avoir lavé rapidement ses ustensiles, il prit son allume-gaz, hop le thé fut sur le gaz. Toute cette scène étonnante se déroulait sous les regards soupçonneux de Kolo et ses amis. Monsieur Makfou continua de s'occuper tranquillement de son thé.

Quand il eut bouilli pendant une dizaine de minutes, il fit descendre la théière doucement puis il versa seulement l'eau du thé qui était déjà bouillie dans une autre théière. Puis, il mit un verre de sucre dans la théière et la « menthe Boghé ». Après cinq minutes de répit, il commença à faire tranquillement son thé tchore, tchore, tchore… Quand, il eut fini son premier round, il servit à chacun un verre de thé. Et tout le monde était unanime que le thé de Monsieur Makfou était délicieux. Comme le thé avait déjà donné l'énergie au chef de cette prison, sans tarder, il prit la parole : « Je me présente d'abord, car vous êtes là depuis plusieurs mois, mais personne ne connaît mon nom. Je me nomme Sidati, je suis de la tribu de kounta et je suis un arabe pur comme de l'eau douce et claire comme le kaolin. Notre tribu est connue par sa droiture et sa rigueur partout en Mauritanie. Si je suis là ce soir avec vous, prendre du thé ensemble c'est pour votre propre bien. Vous êtes des enfants, il y a beaucoup de choses qui vous échappent dans ce pays. Peut-être vous comprendrez plus tard et ça pourra être également trop tard pour vous. D'emblée, je reconnais rationnellement que je vous ai fait beaucoup de torts, depuis que vous êtes ici ; et je suis désolé. Mais ne pensez surtout pas que tous les maux que je vous ai faits venaient directement de moi. Au contraire, moi je ne faisais qu'exécuter des ordres venant de mes hiérarchies. Au départ, je ne connaissais même pas vos profils, car on m'avait juste dit que vous étiez des petits bandits appuyés par les hommes politiques véreux et que votre objectif était de déstabiliser la Mauritanie. Quand j'ai su que vous étiez tous de gros diplômés, je me suis dit que même notre pays a besoin des jeunes prodiges comme vous. »

Prenez d'abord vos verres de thé, trinquons ensemble pour la santé. Merci, mes enfants, je continue, en fait, j'ai réussi aujourd'hui un ordre qui vient automatiquement du ministre de la Justice et de celui de l'Intérieur. Ils m'ont dit de vous dire que vous pouvez sortir dans cet enfer en une seule condition.

— Laquelle ? dit Kolo Koulibaly.

— On m'a dit de vous dire qu'il faudrait que vous clarifiiez votre position, c'est-à-dire si vraiment vous voulez faire de la politique vous devriez tous adhérer immédiatement dans le parti au pouvoir et vous serez automatiquement libre. Demain matin un hélicoptère sera affrété pour vous rapparier à Nouakchott. Et si vous ne voulez ne pas faire de la politique votre organisation baptisée la Mauritanie d'Abord sera dissoute et vous devriez laver vos mains à tout ce qui est de l'organisation que ça soit politique ou apolitique.

— Non, avait tonné le président du Mouvement de la Mauritanie d'Abord. Monsieur Sidati, on a tout vu dans ce bagne : l'humiliation, les violences, la famine, la salubrité... Si nous étions ici pour nous seuls, on pourrait accepter votre deal, mais nous sommes là pour un idéal universel. Nous sommes là pour un but précis. Et nous sommes là pour un changement. Tant que vous continuerez à juger l'incapacité intellectuelle de noires de ce pays par la couleur de sa peau et non par son incompétence, nous serons prêts à mourir dignement dans ce mouroir. Tant que nos mères, nos pères, nos frères et nos sœurs continueront à mourir par des crises cardiaques ou sous des tirs des balles à cause de ce recensement discriminatoire, nous serons prêts à être des agneaux sacrificiels afin de protéger la génération future. Et tant que nos langues, nos traditions, bref nos cultures seront restées à la marge de l'histoire de ce pays et la vôtre au centre de la vie médiatique de ce pays, nous combattrons jusqu'à notre dernier souffle. Par conséquent, nous ne pourrons jamais renoncer à la politique, car l'expérience que nous avons acquise dans cette prison nous montre que la politique est la seule voix valable pour atteindre nos objectifs. D'ailleurs je ne veux pas vous mentir quand nous allons sortir dans ce pétrin, nous allons en faire notre organisation en un parti politique. C'est notre droit absolu et personne ne pourra nous empêcher. Je dois conclure tout ce que je viens de vous dire par une magnifique formule de Mamadou Dia, homme politique sénégalais, qui fut le président du conseil du

Sénégal qui disait « je préfère vivre libre en prison plutôt que de vivre prisonnier dehors ».

— Vrai, confirma Ismaël Thiam avec zèle.

Puis il développa :

— Mon ami, vous avez dit la vérité comme disait mon grand-père « quand la vérité parle, le mensonge se cache ». Comme la vérité est déjà arrivée, donc le mensonge n'a plus la place ici. Monsieur Sidati, pensez-vous que vous pouvez nous mettre dans votre poche comme vous avez déjà fait à beaucoup de noirs de ce pays ? Nous sommes certes des humains, mais nous ne pourrons jamais tomber dans vos pièges sataniques.

Depuis que je t'avais vu rentrer avec un sourire aux lèvres, je savais que vous avez une chose importante à nous dire, car mon ami Kolo Koulibaly ne disait-il pas « qu'un Beidane ne sourit jamais gratuitement pour un noir ». Ça fait mal, mais c'est vrai, mais c'est votre habitude.

Pour terminer, si vous ne savez pas pourquoi nous sommes là, alors nous, on sait. Nous avions manifesté pacifiquement suite à la mort de la mère de notre ami Lamine Mangane, et c'était à cause de votre recensement raciste. Cette brave femme est morte à cause de son fils qui a été injustement arrêté, frappé, hospitalisé, jugé et emprisonné : 5 ans de prison ferme. Et nous n'avons même pas de ses nouvelles jusque-là.

— Écoutez les jeunes ! dit Monsieur Sidati. Je veux vous dire une chose : en Mauritanie, celui qui décide d'être un opposant mourra pauvre. Regardez juste autour de vous, tous les opposants radicaux qui étaient dans ce pays, au fil du temps, la moitié ont rejoint la mouvance présidentielle et ils sont morts dans la richesse et ceux qui ont refusé de se rallier à nous, sont morts très pauvre. Cependant, vous, vous êtes des jeunes. Les hautes autorités de l'État vous proposent cette belle opportunité et vous, vous refusez. Vous savez, dans la vie, certaines occasions ne se présentent qu'une seule fois ! Si vous en profitez, bravo ! Et si vous en laissez passer, vous allez regretter tout au long de votre vie. Je vous donne 24 heures, pour que vous puissiez bien réfléchir sur votre avenir. J'en suis sûr et certain que votre avenir politique, social et économique dépendra de la décision que vous allez apprendre.

24 heures plus tard, Monsieur Sidati se planta devant la porte de la salle de Bilal Ould Bilal et ses amis. Ce dernier réitéra sa proposition à Bilal Ould Bilal et ses amis. L'inattendu se produisit ; tout le monde rejeta en bloc sa proposition. Ce dernier devint furieux et monta aux créneaux.

— Vous, vous croyez que vous êtes qui, vous !

Bande des bandits ! Vous êtes sans vergogne ! J'avais de la sympathie pour vous, car je pensais que vous, vous en avez d'énormes ambitions pour développer ce pays. J'avais pitié de vous, car des intellectuels de votre calibre méritaient autre chose.

Hélas, vous venez vous-même de me montrer que vous n'avez pas de sentiment de la loyauté pour ce pays-là. J'en ai aussi la certitude que vous êtes louche, car parmi vous c'est Cheikh Diop et Bilal Ould Bilal qui manipulent bien la langue hassanya, mais les autres tâtonnent beaucoup. Un vrai Mauritanien de souche qui ne parle pas bien cette langue est un suspect. Si vous décidez de refuser la proposition que je vous ai faite, vous ne sortirez jamais vainqueur de cette guerre, car c'est nous qui avions pris la destinée de ce pays depuis les indépendances et ce nous qui continuerons à prendre la destinée de ce pays jusqu'à la fin du monde.

— Monsieur Sidati, dit Bouba Keita, vous venez de nous dire que nous ne gagnerons pas cette guerre. J'aimerais que vous sachiez que nous, nous ne sommes pas en compétition avec qui que ce soit. Ensuite entre vous et nous, il n'y a pas la guerre dans le sens étymologique du terme, nous sommes juste dans les batailles des idées. Vous venez déjà de jubiler votre victoire sur les noirs de la Mauritanie. Pour moi, c'est tôt de fêter votre victoire, comme disait mon ami Kolo Koulibaly : « Un gagnant n'est pas celui qui gagne facilement quelque chose, c'est plutôt celui qui rêve de quelque chose et il ne cède pas ». Nous sommes déterminés à poursuivre notre marche. La marche pour la liberté sera trop dure, car il y a jamais eu le chemin facile pour atteindre la liberté. Nous savons que nous allons parcourir beaucoup de chemins d'embûches. Nous sommes également conscients de l'immensité des tâches qui nous attendent. Nous voulons être le fer de lance pour unifier la Mauritanie divisée depuis 1966. Un jour viendra, nous ne serons pas les spectateurs de la vie politique mauritanienne ; mais plutôt des acteurs clés capables de développer notre pays sur tous les domaines. Si vraiment mourir est nécessaire pour atteindre notre idéal, nous n'hésiterons pas à le faire.

— Vous avez dit vrai ! criait Bilal Ould Bilal.

— Bilal, dit Monsieur Sidati, si tu savais vraiment qui tu es, tu n'allais pas applaudir ce que ton ami vient de dire. Premièrement, tu n'es pas négro-africain. Pourquoi te mêles-tu de ce qui ne te regarde pas ? Deuxième chose : tu n'es pas un parfait inconnu comme eux. Tu es Arabe comme nous. Nous parlons la même langue, nous avons la même tradition, la même habitude, bref la même culture. Tu es l'un des nôtres. La seule chose insignifiante qui me sépare de toi c'est la couleur de ma peau. Nous habitons également dans le même quartier.

Nous organisons nos mariages ensemble et même nos funérailles, nous les faisons toujours ensemble. Si je te parle avec une telle douceur, c'est parce que je ne veux pas que tu souffres avec eux, car ils sont tous différents de toi. Il suffit de regarder leur quartier pour confirmer avec la certitude que tout ce que je suis en train de te le dire. Imagine-toi un peu, chaque fois qu'on parle de la tuerie, tout le monde pense directement à leur quartier. Nous les Maures blancs même étant policiers, on a tellement peur d'aller dans le quartier comme : 5ᵉ, plus précisément au Garage Mali ou au Garage Sénégal.

Tellement les « Kori » de Mauritanie ont la nostalgie de leur pays d'origine qu'ils ont décidé unilatéralement d'appeler certains lieux des quartiers mauritaniens « garage Mali » ou « garage Sénégal », tout ça pour qu'ils restent toujours connectés à leurs origines négroïdes. C'est pour cela que je viens de te le dire que toi tu es différent d'eux.

Je te laisse pour la dernière fois de bien réfléchir sur ton sort. Si tu acceptes d'adhérer dans notre parti politique, tu seras directement libre et avec tes gros diplômés, tu auras sans doute un bon travail, car tes dossiers seront automatiquement déposés dans le bureau du ministre de l'Intérieur… Par contre si tu refuses d'échanger ton fusil d'épaule, sachant que votre supplice sera aggravé peut-être certains parmi vous mourront ici. Je te laisse faire l'examen de conscience. C'est ton dernier sprint pour gagner ou perdre ton avenir.

Face à l'inqualifiable Sidati, Bilal Ould Bilal jeta l'éponge et accepta automatiquement sa proposition, sans même faire l'examen de conscience qu'il lui avait demandé. Il décida de trahir ses amis pour sauver sa peau dans une situation extrêmement tendue. Il a été libéré le même jour et il avait passé la nuit chez l'un des policiers. Le lendemain matin, comme convenu, un l'hélicoptère médicalisé était affrété pour lui rapatrier directement vers l'hôpital militaire de Nouakchott : l'un des meilleurs du pays. Courageux qu'il était, Kolo Koulibaly continua à galvaniser ses amis avec une fougue incroyable, car ce dernier avait la certitude qu'un jour tôt ou tard, ils seront libérés. Cependant, certains de ses amis, notamment Bouba Keita et Cheikh Diop, ont commencé à désespérer. Ils ne croyaient plus à leur libération. Ils devenaient timides et stressants. Même le Directeur en personne avait commencé à s'inquiéter de leur comportement. Souvent il essayait de discuter avec eux, mais le courant ne passait pas, car ils ne répondaient presque plus à ses questions.

Face à cette situation chaotique, Kolo demanda à Ismaël de chercher ensemble une solution appropriée au comportement bizarre de leurs amis. Mais celui-ci proposa à son ami de préparer un plan béton d'évasion. Par contre Kolo avait vite écarté cette thèse, car premièrement, tenter de s'enfuir en plein désert inconnu était une mission hautement périlleuse et suicidaire ; puisque même s'ils arrivaient à s'évader de la prison, en plein cœur du désert, ils pourraient se perdre facilement étant donné, ils ne maîtrisent pas leur lieu géographique. En second lieu, il était contre l'idée de son ami parce que s'échapper était non seulement contraire à sa personnalité, mais aussi contre la valeur de leur mouvement. En dernier lieu, il était opposé à l'idée de son ami, car ses amis n'avaient plus la capacité de le faire sachant que ces derniers avaient étaient affaiblis sur le plan physique et psychologique. La prison de la mort avait considérablement changé les jeunes du MMA. Physiquement parlant, rien n'allait bien pour Cheikh Diop, il était devenu maigre comme un clou, la chemise qu'il portait était devenue comme une grosse couverture pour lui. Son visage devenait ovale et petit comme un œuf, ses lèvres étaient tombées sur son menton, ses oreilles devenaient larges et occupaient ses tempes. Sur le plan psychologique, ce dernier avait le moral totalement en berne. Il ne croyait plus à leur rêve et il se sentait abandonnait par ceux ou celles qui chantaient le nom de leur mouvement quand tout allait bien. Enfin, il était noyé dans la solitude totale. Par ailleurs, Bouba Keita quant à lui avait opté pour la méchanceté. Il était devenu brusquement le prisonnier le plus problématique. Il bagarrait au moins deux fois par jour soit avec les autres prisonniers soit avec les gardiens. La dernière fois, il a été assigné à un isolement total parce que son nouveau comportement avait commencé à agacer, le Directeur de centre pénitentiaire en personne. En revanche, Kolo avait supplié celui-ci de laisser leur ami rester à son côté, sinon il pourrait devenir fou dans le futur proche. Ce dernier avait dit à Koulibaly qu'il ne resterait pas pour longtemps dans son isolement. Et il avait ajouté que Bouba serait écarté des autres, pas par punition, mais juste pour son auto-éducation.

Chapitre 6

Après 9 mois de détention préventive et après beaucoup de pressions nationales et internationales, la justice mauritanienne décida de libérer sans condition Kolo Koulibaly et ses amis. Ils ont été accueillis en héros dans la capitale mauritanienne. Leurs noms étaient chantés dans la capitale et dans certaines zones de l'intérieur du pays. Les médias privés suivaient de près leur libération et les presses internationales aussi en avaient fait mention. Même si le pouvoir en place avait interdit toute forme de regroupement, la masse populaire n'était pas de cet avis. Beaucoup de gens s'étaient rassemblés pour fêter la libération de leurs martyrs. Certains journalistes étrangers avaient même fait un déplacement pour immortaliser ce moment indélébile. Quand les désormais ex-prisonniers ont fini de fêter leur sortie de prison avec leurs partisans et sympathisants à la place de la liberté là où leur calvaire avait commencé, ils se dirigèrent vers la maison de leur ami pour s'acquérir de ses nouvelles. La première mauvaise nouvelle fut la non-libération de celui-ci. Ils furent accueillis par sa tante. Cette dernière leur a raconté la scène surréaliste qu'elle continue à vivre à chaque fois qu'elle amenait le repas à son neveu : ces policiers affamés, manger d'abord une part du repas de Lamine Mangane avant de lui donner son bol. Et chaque fois qu'elle demandait pourquoi ces limiers faisaient cela. Ces derniers répondaient avec une intonation condescendante que ce n'était pas par la méchanceté qu'ils mangeaient la nourriture de celui-ci, mais c'était juste à cause de la faim puisque leur salaire mensuel n'était rien d'autre qu'un cache-misère. Et c'était difficile pour eux de rejoindre les deux bouts. À partir de cette conversation, la tante de Lamine Mangane apportait désormais deux bols de repas, l'un pour son neveu et l'autre pour ses bourreaux. Ces derniers étaient étonnés de la générosité de cette femme. Ils ont promis à celle-ci qu'ils feront tout pour le tout pour que son neveu soit libéré.

Ainsi, une semaine après leur libération, Cheikh Diop invita ses amis chez eux pour parler de leur avenir. Mes amis, dit-il, vous savez qu'on a beaucoup souffert cette année.

Notre mouvement apolitique a été créé pour lutter contre la cause des noires de Mauritanie en général, mais aussi pour la libération de notre intime ami Lamine Mangane qui est toujours injustement incarcéré dans la prison centrale de Nouakchott. Pour commencer, j'ai une obligation de remercier en particulier Ismaël Thiam et Kolo Koulibaly. Je les remercie pas parce qu'ils sont les chefs de notre mouvement, cependant parce qu'ils se sont montrés courageux, combatifs, déterminants et décisifs tout au long de notre séjour en prison. Ils ont bravé plusieurs intempéries pendant que Bouba Keita, Bilal oud Bilal et moi avions complètement craqués. Nous étions fondus, non pas parce que nous étions trop paniquards, mais juste parce que notre situation était devenue répréhensible. Au début de notre mouvement, nous étions nombreux, mais aujourd'hui la plupart de gens nous ont été éloignés. C'est-à-dire nos partisans, nos sympathisants et même certains de nos leaders. Souvenez-vous, quand nous étions moins jeunes, nous avions beaucoup d'amis Beidanes ou Haratins qui partageaient le même rêve et la même aspiration que nous, notamment : Mohamed Lemine, Bilal Ould Bilal Ould Labat, Hassane Ould Dadda et tant d'autres. Aujourd'hui Mohamed Lemine qui fut notre Militant avant heure a eu un bon travail et il nous a laissés pendant que nous sommes là en train de souffrir. Bilal Ould Bilal nous a trahis là où nous en avions plus besoin de lui. C'était juste un rappel historique. Comme vous le savez, tout ça, c'est du passé ; maintenant nous devrions tourner notre regard vers le futur.

De plus nous devrions chercher un avocat compétent pour qu'il travaille efficacement et durement sur la libération de notre ami. Imaginez-vous, mes amis, sa mère fut décédée, il y a de cela plus de 9 mois maintenant et jusqu'à là, il n'en sait même pas. L'heure est grave. Camarades, n'oubliez pas qu'avant qu'on soit arrêté, j'avais mis sur pied une entreprise. Hier mon comptable m'avait confirmé que durant ces 9 mois, mes chiffres d'affaires avaient fortement rebondi de manière spectaculaire, et les chiffres d'affaires de mon entreprise tournent autour de 2 500 000 MRU aujourd'hui. Je pense que demain nous irons ensemble pour donner quelque chose à la famille de la mère de notre ami. Comme vous ne travaillez pas, ne vous inquiétez surtout pas de l'addition, je m'en occuperai. Je pense que je donnerai 100 000 MRU à notre nom à tous.

En outre, Camarades, nous, nous avons galéré ensemble et je pense que notre heure a sonné. J'aimerais vraiment que vous intégriez mon entreprise. Je serais heureux de travail avec vous, car vous êtes tous mes amis d'enfance. Que dites-vous ?

Moi, Bouba Keita, je ne vois pas l'inconvénient de travail avec mon frérot, donc ça marche. Frangin. Puis-je savoir le poste que j'occuperai ?

— Grand mathématicien, tu seras sans doute comptable, mon ami. Ça te va ?

— Bien sûr, bien sûr, je le veux vraiment, mais dis-moi, cette place était-elle déjà occupée par une autre personne non ?

Effectivement, cette place était bel et bien occupée par un jeune soninké, mais comme il a eu déjà son visa d'entrée en France, il devrait voyage dans deux semaines, il attendait juste que je trouve quelqu'un pour qu'il arrête de travailler. Ce jeune est vraiment une personne honnête, loyale et juste. Il faisait son travail correctement, mais comme tu sais « rek », un Soninké s'il entend le nom « France », il se métamorphose subitement. Cela veut dire que si mon cousin Soninko trouve le visa de l'Espace Schengen, même s'il touche 2000 euros en Mauritanie, il abandonnera pour se rendre en Europe. Je ne suis pas un psychologue, ni un sociologue, ni encore un anthropologue pour pouvoir bien expliquer les motivations qui l'a poussé coûte que coûte à partir vers l'occident. Sinon, ce n'est pas à cause de l'argent qu'il souhaite aller en Europe. Il était payé 38 000 MRU par mois. C'est déjà beaucoup comme salaire en Mauritanie. Lorsqu'il m'avait fait savoir son intention de quitter la Mauritanie, je lui avais dit que si c'était à cause de l'argent, j'augmenterais considérablement son salaire, mais il n'avait pas accepté. En disant « travailler en Mauritanie n'a pas de garantie ».

— C'est vrai, nous aimerons tellement aller en France en particulier, mais à l'étranger en général. Mais Cheikh, dit Kolo, sais-tu les causes qui incitent les Soninko à voyager ?

— Non, mon cher ami, je ne sais pas.

— Je t'explique, mon frère, tu sais, selon la légende notre ancêtre répondant au nom de Samba Malik Dalla, immigrant et également grand commerçant, il fit ses transits avec les ânes comme moyens de transport.

Il domina largement le monde du commerce de son époque. Donc la légende voulait que ses héritiers soient aussi des immigrés comme lui. Voilà pourquoi nous aussi avions choisi l'immigration comme notre mode opératoire sur le plan économique depuis des siècles et des siècles. Pour aller plus loin, mon frère, tu sais, nous les Soninko, nous détestons tellement l'humiliation. Autrement dit, là où il y a cette pratique, nous sommes toujours absents. Nous, les Soninko, nous sommes trop attachés à nos codes culturels. Nous sommes éduqués ainsi depuis tout petit. Quand j'ai été petit, mes parents me disaient que mon ethnie était la meilleure au monde, car dans mon ethnie, il y avait ni voleur, ni tricheur, ni froussard, ni parasite. Et tout Soninké ne mangeait qu'à la sueur de son front. Ces derniers m'avaient inculqué que « soninké » voulait dire « nous », car chez nous, le « je » n'existe pas. Un Soninké ne peut pas faire quelque chose sans consulter l'avis de ses aînés. Nous demandons les adultes pour ne pas tomber dans les erreurs pourtant évitables.

Ils me disaient aussi que chez nous on refuse de prendre une décision seul, car tout le monde a peur de la honte, un cas d'échec. Et la honte c'est un mot qui a un sens atypique dans notre société, car nos anciens disaient « la mort est plus utile que la honte ».

Tout d'abord, notre société est conduite sur les bases des règles strictes. La gérontocratie est le socle de cette société. Celui qui est l'aîné de la famille par exemple à l'obligation de porter sa famille sur son épaule, quel que soit le montant d'argent qu'il gagne. Et si par exemple l'aîné gagne 3500MRU, soit le salaire de la majorité de Mauritaniens qui sont dans l'économie informelle. 3500 MRU c'est moins de 100 euros avec cette somme maudite, c'est difficile même de se faire survivre a fortiori de faire vivre aussi sa famille. Par conséquent, comme nous sommes obligés de faire nourrir notre famille ; la peur que notre famille perde leur repère historique est grande. Nous sommes tellement animés par le sentiment de la responsabilité et de la culpabilité de notre famille. En revanche, demander une assistance financière ou économique ne fait pas partie de notre ADN.

Ainsi pour éviter à tout prix que notre famille soit dans une situation inconfortable, voilà pourquoi nous tentons l'impossible pour éviter la honte. Cette honte commence d'abord dans nos villages pour s'étendre ailleurs. Celui qui n'a rien chez nous est systématiquement humilié par sa propre famille : sa mère, son père, ses frères, ses sœurs, ses cousins, ses cousines, ses tantes… jadis la valeur de l'Homme soninké primée sur la valeur matérielle. On ne regarde pas ce que tu as, mais plutôt qui tu es. On adorait une personne qui se déplaçait de village en village pour aller saluer les familles.

On chérissait une personne qui était toujours présente physiquement quand il y avait un événement particulier comme le baptême, le mariage ou le décès. Malheureusement, aujourd'hui, quand une personne se déplace d'un village à l'autre pour saluer sa famille, on interprète de différentes manières. Mais certains vont jusqu'à traiter cette personne de mendiante. Et si une personne est toujours présente dans des événements, on dit que cette personne vient chercher à manger. Ceci dit, tellement la valeur matérielle a dominé le monde soninké d'aujourd'hui que c'est rare, voire inexistant, de voir un jeune qui n'est pas en Europe ou qui n'est pas stable économiquement parlant de se marier avec une belle femme soninké. D'autre part, nous partons en Europe, car nous ne sommes même pas considérés comme des êtres humains dans ce pays. Le chien ou le chat est bien traité en Europe qu'un noir dans ce pays. En Europe, quand tu frappes un animal, quel qu'il soit, tu es directement sanctionné par la justice. Je sais que vous serez choqué, quand je dis en Europe, les animaux sont mieux traités que les noirs en Mauritanie. En fait on voit parfois les pompiers qui se mobilisent avec plusieurs véhicules pour sauver un chaton ou un chiot qui est bloqué dans un endroit étroit. Quand ils sauvent cet animal, on l'amène directement à l'hôpital pour qu'il subisse des examens médicaux approfondis. Au même moment chez nous, les femmes enceintes noires meurent dans leur maison pendant l'accouchement juste parce qu'elles n'ont pas le moyen d'y aller accoucher dans les hôpitaux. Ce n'est pas tout, en Mauritanie, un dromadaire de Beidane est plus important qu'un Homme noir.

En effet, si un dromadaire de Beidane meurt accidentellement ou naturellement à côté du champ d'un noir surtout si c'est un Négro-Africain du pays, qu'il soit coupable ou pas, il paie obligatoirement, le double ou le triple du prix normal de cet animal ou il meurt en prison. Alors que si c'est un Beidane qui tue un noir, les autorités privilégient la piste morale plutôt que juridique. C'est une vérité qui est connue de tous et personne ne pourra la nier. À l'époque, nous les Soninko, nous détestions tellement l'éducation. Mais actuellement personne ne peut dire que nous n'apprenions pas. Nous avons des jeunes partout dans le monde qui étudient dans des universités les plus prestigieuses du monde. À la fin de leurs études, si ces jeunes viennent pour travailler dans ce pays. C'est de la désolation totale, les concours nationaux se font aujourd'hui que sur les papiers en réalité les plus puissants du pays partagent avec joie en coulisse le nombre d'admis comme les enfants partagent la tarte. Les nominations sont faites par un groupe des bandits insouciants de l'avenir du pays. C'est la raison pour laquelle la plupart de nos jeunes, à la fin de leur cursus universitaire, préfèrent travailler à l'international, quel que soit le travail, plutôt que de venir se faire humilier ici. D'ailleurs comme tu le sais je suis moi-même un exemple parfait. Aujourd'hui, la plupart des jeunes wolofs ou peuls préfèrent également rester en occident, car ils ont peur de venir remplir les listes des chômeurs en Mauritanie.

Par ailleurs, dans les autres ethnies de ce pays, les gens sont très heureux d'avoir des diplômés dans leurs familles, mais chez nous c'est le contraire. Psychologiquement parlant, la plupart des diplômés soninko souffrent de syndrome d'imposteur puisque si un jeune soninké est diplômé, il ne peut pas avoir un bien-être psychologue. C'est-à-dire qu'un diplômé soninké vit toujours sous la pression permanente de sa famille, car pour la plupart des Soninko, le diplôme est synonyme du travail, qui doit apporter des millions chaque mois. Et si ton entourage et les autres ne voient pas tes réalisations pendant trois ans au maximum. On commencera par te dire que tu perds ton temps ici et il vaudra mieux que tu ailles travailler en Europe, car les Maures blancs ne donneront jamais la chance à un noir d'obtenir un bon job. Par conséquent même si tu es fort mentalement étant diplômé chômeur ou mal payé, tu risques d'épouser leurs idées.

En réalité, ils disent la vérité, car ici pour occuper un poste important, il faut que ton père vienne de la grande tribu de Beidane, cependant les intellectuels ne devraient pas voir les choses ainsi. Ils devraient se battre…

Pour terminer, la première génération des jeunes soninko qui avait eu de gros diplômes n'avait pas pu faire de grandes choses pour leurs villages que ce soit sur le plan intellectuel, culturel, éducatif et économique. C'est pourquoi chez nous une fois que tu es diplômé, tout le monde dira que « tu passeras par la petite porte par laquelle tes prédécesseurs sont passés ». Donc, pour éviter d'être stigmatisés, la plupart parmi nous préférèrent y aller faire l'aventure en Europe de l'Ouest ou en Afrique centrale. Je pense que j'ai été assez clair.

En parlant du travail, je suis ravi de commencer à travailler avec toi Cheikh Diop, mais si les choses ne s'améliorent pas à ma faveur, je partirai en France. Désolé de prendre beaucoup de vos temps, maintenant je dois passer la parole à Ismaël Thiam.

Hahahah soninké « a da ga » France, je te taquine prési, comme Diop venait de dire, nous avons tellement souffert dans ce pays. Je pense que nous devrions intensifier notre lutte. Pour moi, Ismaël Thiam, ce n'est pas croyable que notre ami et petit frère purge injustement ses peines en prison, alors que nous, nous sommes tranquilles dehors. Certains Mauritaniens aiment que les gens qui masquent la vérité, ceux qui donnent l'impression que tout va bien, alors qu'en réalité tout va mal. Les Maures blancs aiment beaucoup parler de la paix. C'est très bien de parler de la paix, mais ils oublient que pour que la paix règne dans un pays quelconque, il faut qu'il y ait d'abord, l'égalité raciale, en un mot, la justice sociale… Mais on ne peut pas bâtir la paix sur les dos des défavorisés. On ne peut pas faire la paix en rendant l'existence des autres obsolètes. Je pense que ces Berbères jouent facilement avec nos nerfs. Si vraiment les Berbères de ce pays aiment la paix, tels qu'ils la chantent, ils devraient d'abord supprimer la ligne de la démarcation qui est entre les différentes communautés de Mauritanie. Ils devraient également faire tomber les barrières du racisme. Ce sont eux qui ont tué nos parents en 1986 jusqu'en 1991. Et ce qui est bizarre, si tu fais rappeler à ces Berbères les événements qui ont mis ce pays à terre, ils te traitent d'anti-Mauritanien ou anti-peuple.

Mais si tu leur dis que nous devrions enterrer ces événements, ils te qualifient de grand patriote. Pour moi, tous les noirs qui veulent enterrer ces années de braises sans la justice sont des assassins de trésors historiques non exploités. Notre combat continuera jusqu'à ce que la justice soit faite. Mais faisons gaffe sinon ils vont nous diviser. Rappelez-vous quand nous avons commencé notre combat, nous étions au nombre de six. Aujourd'hui où est notre Mohamed Lemine ? Il nous a d'abord trahis dans notre combat et il nous a tous bloqués sur tous les réseaux sociaux.

Où est notre Bilal Ould Bilal ? Lui aussi avait décidé de se séparer de nous dans le moment le plus douloureux de notre vie. Où sont nos autres amis maures blancs qui ne cessaient pas de nous avouer leur solidarité pour notre cause. Mais aujourd'hui, ils se sont tous volatilisés dans la nature. Faisons en sorte que nous restions ensemble. Notre combat n'est pas une lutte saisonnière, elle est plutôt une lutte illimitée. Comme c'est un combat à vie donc nous devrions être prêts à tout, car tout peut nous arriver. Ils pourront nous enlever, nous séquestrer et même nous tuer. Mais je répète encore, « nous devrions rester un et indivisible », comme disait mon grand-père « l'union est la mère de la victoire alors que la désunion est la grand-mère de l'échec ». Je sais aussi que comme nous sommes devenus populaires et nous trouvons faciles des audiences avec des médias internationaux, les gens de bonnes intentions ou de mauvaises intentions viendront forcément pour nous donner des conseils. Nous ne pouvons pas rejeter ces gens-là, mais à la base soyons vigilants avec des conseils, car comme disait mon professeur de français « tous les conseils qui nous parviennent sans esprits critiques, c'est comme une lettre sans contenue ». D'autre part l'ethnie la plus détestée par tous les gouvernements mauritaniens qui se sont succédé depuis les indépendances jusqu'aujourd'hui c'est le wolof. Je ne parlerai même pas d'ethnie de Bambara, car elle n'est même pas constitutionnalisée. Tout le monde sait et personne ne pourra dire autrement que les wolofs ont joué un rôle déterminant pour l'accession à l'indépendance de ce pays. Mais quand l'indépendance de la Mauritanie fut actée. Dès le premier gouvernement jusqu'à nos jours, ils ont été tristement abandonnés.

Même, si les noirs sont quasi inexistants dans chaque formation du gouvernement, on prend malheureusement toujours un Soninké, et le plus souvent deux ministres de l'ethnie peule. Et le wolof ? Quasi jamais, pour ne pas dire jamais tout simplement ; on ne le considère comme les Mauritaniens de troisième zone si je peux m'exprimer ainsi. Mais une chose est sûre, la chance appartient à Dieu. La même ethnie qui avait empêché illégalement Cheikh de travail pour ce pays, ce sont les gens de cette même communauté qui travaillent au compte de celui-ci aujourd'hui. Avant que je m'énerve, je dois m'arrêter là. Pour le travail, je suis pressé de travailler avec mon désormais patron, Cheikh Diop, le patron des patrons.

À la surprise de tous, ancien serveur du Fast Food, autrement dit, l'ancien maître d'école primaire était devenu le magnat de transport mauritanien. Tout aller merveilleusement bien dans ses entreprises de voyage. Ses chiffres d'affaires augmentés de façon miraculeuse. Comme les choses allaient très bien dans ses différentes entreprises, il décida d'étendre ses économies dans la sous-région. D'emblée, dans son pays, il avait 12 agences de voyage terrestre qui ralliaient Nouakchott et les autres villes du pays vice-versa. En un mot, il avait 24 minus bus de marque Toyota. Il avait également trois agences de transport aérien. Et la plus grande de ses agences se trouvait juste à côté du carrefour BMD de Nouakchott. La moyenne était en face du stade Ksar, et la plus petite se située en quelques mètres de la mosquée saoudienne de Nouakchott. À l'étranger, il avait aussi des agences de voyages : au Sénégal, au Mali et même en Côte d'Ivoire. Au pays de la Teranga, ses bus faisaient les navettes entre Bakel et Dakar, Dakar, Bakel. En l'ancien soudan français, il avait quatre agences de voyages. Ses bus faisaient les transits entre Kayes et Bamako, et vice-versa. Au pays des éléphants, il possédait aussi quelques agences là-bas. Ses bus voyageaient régulièrement entre Bouaké et Abidjan et Abidjan-Bouaké.

Comme les entreprises de celui-ci, de Mauritanie et de l'étranger, étaient en plein essor économique, ceux qui détenaient la clé du transport en Mauritanie, c'est-à-dire que les Maures blancs, ont décidé de lui faire la guerre pour lui faire tomber coûte que coûte, car il représentait désormais comme une montagne de cancer pour leur business.

Ainsi la bataille administrative entre Cheikh Diop et les Beidanes fut engagée. Quelques leaders du patronat mauritanien composés que des Beidanes et un Haratin avaient essayé de faire tomber le nouveau boss de Mauritanie. Mais dans un premier temps, ils ont fait toutes les machinations possibles, mais pour le moment ce dernier reste intouchable.

Après leurs chaotiques échecs, Cheikh devint encore une figure emblématique dans la société mauritanienne. Même ceux qui le négligeaient avant ont tous accepté son leadership. Tout le temps, il était invité avec ses employés dans les médias d'État pour qu'il expliquât au monde ce que les journalistes mauritaniens appelaient communément « le miracle Diop ».

Il était invité également dans de différents colloques ou conférences qui se déroulaient, dans la sous-région et surtout dans les pays du golfe. C'était au cours d'une interview à la télévision nationale qu'une femme l'avait vue et lui contacta après l'émission.

— Touou, touou, touou, allo, allo, allo, est-ce que vous m'entendez Monsieur ?

— Pas très bien, je pense que la liaison est mauvaise.

— OK, je coupe et je vous rappelle directement. Je pense que vous m'attendez maintenant ?

— Oui, je vous attends parfaitement.

— OK, bonsoir, comment vous allez ?

— Bonsoir, Madame, je veux bien, à qui ai-je l'honneur ?

Amina Mint Zahara, c'est mon nom. Je suis Mauritanienne de l'ethnie arabe. C'était tout à heure au cours de l'émission télévisée, j'ai été concentrée devant mon petit écran et je suivais avec une attention particulière votre interview. Je continue toujours à me demander comment vous avez bravé les montagnes des problèmes pour en arriver là où vous êtes aujourd'hui ? Quels sont vos secrets en fait ? La manière dont vous avez réussi dans le business m'a tellement émue. J'ai vraiment besoin de vos conseils, car mon ultime rêve depuis que j'ai été toute petite était également de bâtir un empire financier comme le vôtre. Là où je suis, j'ai quelques capitaux et j'ai vraiment l'intention de monter une entreprise pareille.

Je suis prête à venir vous voir chez vous, quand vous voudrez, comme vous voudrez et où vous voudrez.

— Merci, Madame, je n'ai pas pensé que les gens faisaient attention à ce que je disais dans les médias, je suis flatté. En ce qui concerne le rendez-vous comme vous êtes une femme, je dois d'abord vous demander une autorisation d'enregistrement de notre conversation, parce qu'on ne sait jamais surtout avec les femmes ; tout est possible.

— OK, je vous donne l'autorisation d'enregistrer notre discussion.

— Merci, Madame, je disais comme vous êtes une femme, je ne veux pas que vous veniez chez moi.

Moi-même je passerai chez vous le vendredi vers 18 heures 30 minutes et je viendrai avec mon ami ; si vous êtes seule chez vous, dites-le-moi maintenant, et je renonce à notre rendez-vous, puisque j'aimerais vous trouver là-bas avec votre mari pour éviter le problème. Je ne veux pas avoir des ennuis avec les gens.

— Non, vous pouvez venir, Monsieur, rassurez-vous que je ne suis pas seule dans la maison, je vis en famille. Vous dites que vous allez venir avec votre ami, lequel ? Keita ou Koulibaly ?

— Comment connaissez-vous mes amis ?

— Non, Monsieur d'ailleurs, c'est une erreur, oubliez ça.

— Vous êtes louche, Madame ! Je ne crois pas vraiment à votre histoire d'erreur. Ensuite même votre voix me dit quelque chose, mais bon...

— Bon, Monsieur Diop, je veux vous envoyer par message toutes les coordonnées de notre maison. Je vous souhaite une excellente soirée qu'Allah vous protège !

— Amin, à vous aussi, bye, bye.

C'était un vendredi soir comme les autres. La plupart des commerçants de Nouakchott fermèrent leur boutique. Les mendiants occupèrent les trottoirs comme d'habitude. Les gens s'empressèrent de regagner leur domicile. Au carrefour BMD de Nouakchott, les taximans se disputèrent à cause des passagers et les passagers eux-mêmes se disputèrent à cause des places, Cheikh et ses amis suivirent avec attention ce qui se passait au tour d'eux. Ils avaient complètement oublié qu'ils avaient un rendez-vous important, avec une certaine Amina Mint Zahara.

Quand la sonnerie de rendez-vous que Cheikh avait réglé dans son téléphone sonna, ils prièrent précipitamment un taxi pour se rendre chez la dame. Il faisait déjà 18 heures 11 minutes, Cheikh Diop prit précipitamment un taxi pour une course de 20 minutes à 300 MRU ; ce fut un jackpot pour le chauffeur, car gagner cette somme par jour était difficile pour un taximan d'ailleurs, surtout pour 20 minutes. Il demanda avec insistance au chauffeur d'appuyer sur l'accélérateur parce qu'il voulait éviter coûte que coûte que cette dame inconnue le traitât de menteur. Sous la pression de Cheikh, le chauffeur de taxi aussi ne tarda pas à mettre les vitesses, et Bouba lui demanda poliment d'aller doucement, mais sûrement : « vaut mieux arriver tard que de ne jamais arriver », lança-t-il. Cheikh lui donna raison et reconnut aussi ses erreurs.

Ils arrivèrent devant la porte de la maison de cette dernière vers 18 heures 47 minutes. Cheikh et son ami ont été bien accueillis chez Amina Mint Zahara. Leur hôte cuisina pour eux, le couscous local mauritanien et la viande de dromadaire. Ce plat, était le préféré de Cheikh Diop, il le dégusta avec l'appétit comme s'il avait une faim de loup. Le plat était bien garni et Amina leur avait prouvé qu'elle était un véritable cordon bleu. Devant ce plat délicieux, Cheikh pensait à un beau souvenir ; en effet, chaque fois que Cheikh disputa avec son ex-fiancée, elle lui cuisinait le même mets pour se réconcilier. En mangeant ce plat, c'était tout le passé de cette dernière qui lui revenait à la tête. Il commença à songer de leurs bons moments, et de mauvais moments qu'ils avaient vécus ensemble. Aussitôt, il devint trop livide et ne suivit plus correctement ce qu'Amina Mint Zahara lui disait.

Après plusieurs efforts, il parvint quand même à bien expliquer de façon minutieuse à cette dernière ce qu'elle devrait faire pour monter son entreprise à elle. Mais cette femme avait changé son plan. Elle ne voulait plus créer une agence de voyages terrestre, mais plutôt une grande boutique de produits cosmétiques. Cependant, il y avait encore un problème, car selon les calculs d'Amina Mint Zahara, ses capitaux devraient être 500 000 MRU, mais elle n'avait que 350 000 MRU. Le généreux Cheikh lui glissa un chèque de 150 000 MRU.

100.000 MRU, c'était un cadeau en guise de ses ambitions de réussir dans le business et les 150 000 MRU, c'était remboursable dans 15 mois. Elle accepta gentiment le dit de celui-ci. En somme, cette dame était enthousiasmée de la gentillesse et de la générosité de Cheik. Une fois qu'ils avaient pris le 3ᵉ verre de thé, ils prirent tranquillement la route de leur domicile. Ils discutèrent calmement sur leur belle soirée. Soudain Bouba Keita s'arrêta net sur le trottoir, et dit « mon boss, je suis trop fatigué ».

— Je n'en peux plus continuer à marcher. Tout ça, c'est à cause de toi. Tu avais refusé qu'on utilise nos voitures, voilà les résultats.

— Attention ! La voiture a failli te heurter, dit Cheik. Mais mon frangin, nous sommes en train de faire du sport, sois un homme toi aussi ! Nous sommes des jeunes, donc tranquille, frérot, et bientôt nous serons arrivés. Sois juste un peu patient, OK !

— OK, cool frangin, tout va bien maintenant, on peut continuer notre chemin et n'oublie pas que bientôt nous allons nous séparer, puisque nous n'habitons pas dans le même quartier.

— Je sais que votre quartier Ksar est différent par apport à notre quartier : le quartier des pauvres.

— Non, toi aussi, tu es boss aujourd'hui, toi même tu sais pourquoi tu habites toujours dans le quartier de Couva ; sinon aujourd'hui, il n'y a pas un quartier ici à Nouakchott où tu ne peux pas construire ta villa. Changeons de sujet maintenant, frangin. Mais est-ce que tu as bien regardé vraiment la réaction de la femme que nous venons de voir ? J'en doute fort, il se peut qu'elle nous cache quelque chose, je suppose qu'elle n'est pas blanche comme une neige. En tout cas, elle avait un comportement très étrange. Chaque fois que tu la fixais, elle t'esquivait automatiquement. Et chaque fois que tu lui demandais comment, elle savait que Keita et Koulibaly étaient tes amis, elle bottait en touche ta question.

Elle avait évité maintes fois de parler beaucoup. Je sentais qu'elle voulait te parler, mais elle était hésitante. Je voulais même la parler, mais mon sixième sens m'en avait empêché de le faire.

— Bon, n'oublie pas que les femmes mauresques sont trop réservées. Elle a fait ça peut-être par la pudeur, car elles détestent parler avec un homme qui n'est pas leur mari ou leur parent très proche.

— Arrête de nager dans les illusions, mon frère ! Non, toi aussi Cheik, votre hypothèse ne tient pas la route. Tu sais, moi je suis né et j'ai grandi à Atar, car même si je ne faisais pas mes études là-bas, j'ai passé quand même toutes mes petites et grandes vacances là-bas. Donc, je connais très bien cette communauté. Si une femme mauresque veut éviter de regarder un homme par la pudeur, elle n'agit jamais de la sorte. J'en suis sûr et certain qu'elle te voile quelque chose, comme disent les Soninko. D'ailleurs, c'est le seul proverbe que je connais en soninké « le bras coupé ne pourra jamais rester éternellement dans la manche de la chemise ». Tout finira à se savoir un jour, crois-moi.

— Vraiment Bouba, tu es trop suspicieux. Depuis quand es-tu devenu un liseur du futur ?

— Regarde devant toi ! La voiture a failli te cogner, Cheik. Mon boss, oublions la discussion sur cette femme, parlons maintenant de business, je veux devenir millionnaire en une année, frangin. Mais millionnaire, pas en notre monnaie locale, mais en billets verts.

— Waouh, c'est bien, tu aimes trop le monde de business frangin ! Mais, attends d'abord, je vois de l'autre côté du goudron, il y a plein de monde. Approchons-nous pour voir ce qui se passe là-bas. En général si beaucoup de têtes se réunissent surtout dans la nuit, c'est qu'il y a un problème. Les deux amis traversaient le goudron en courant, une fois arrivé sur place, il y avait une immense foule qui entourait deux garçons gisant dans une mare de sang à côté d'une moto. Un des témoins oculaires avait confirmé à Cheikh et son ami que, c'était un jeune Beidane qui aurait à peine 15 à 16 ans qui avait heurté par exprès ces deux jeunes qui étaient sur leur moto. Et il avait ajouté que quand l'accident a eu lieu, le petit Beidane cria de joie puis il dérapa sa voiture et ses amis qui étaient dans la voiture avaient même jeté des bouteilles d'eau à la foule, et ils avaient pris la poudre d'escampette.

Mais le plus étonnant dans tout ça, Bouba Keita et son boss étaient tellement choqués de voir certaines personnes qui filmaient la scène en boucle avec leur Smartphone comme s'ils étaient en colonie de vacances, au lieu d'appeler la police. Aussitôt les deux amis ont pris les choses en main. Ils coururent au commissariat de 5e qui étaient juste derrière la mairie du 5e pour chercher secours. Mais un chef de la police leur avait signifié que le secteur où l'accident s'était déroulé n'était pas le sien. Il les exhorta à partir au commissariat de 5e qui était juste à côté du marché « Tcheb-Tcheb ». Ils arrivèrent là-bas en courant, expliquèrent rapidement la situation dramatique de ces deux jeunes aux policiers.

Là encore, ce fut un cul-de-sac, car un adjudant-chef leur expliqua que c'était l'affaire du secteur qu'ils étaient rendus la première fois. Boubou Keita fulmina des menaces de porter plainte contre les policiers s'ils refusaient de partir porter le secours aux deux jeunes qui étaient dans un état critique.

Après quelques minutes d'insistance de Bouba Keita, la police décida d'abord de poser quelques questions à celui-ci.

— Monsieur, connaissez-vous les identités de ces deux victimes ?

— Non, Monsieur.

— Connais-tu leurs noms et leurs prénoms ?

— Non, mon Monsieur, je viens de vous dire que je ne connais pas leurs identités.

— Ces deux victimes sont-elles des noirs ou des blancs ?

— Ce sont des noirs Monsieur, au lieu de perdre le temps avec vos questions insensées, ce serait mieux qu'on parte, car ils perdent beaucoup de sang.

— OK comme c'est les noirs, bientôt le dîner sera prêt, on va manger rapidement, boire un verre de thé puis on ira ensemble.

N'oublie pas aussi que nous n'avions pas du gasoil, nous avons juste besoin de 500 MRU.

— Quoi, de l'argent ! C'est incroyable ! Nous sommes dans quel pays ! dit Cheik. Monsieur, moi je suis un civil et vous, vous êtes un policier, donc vous avez l'obligation d'appliquer la loi sur vous-même avant de l'appliquer aux autres. L'argent que vous me demandez on appelle ça de la corruption. Et la corruption est sévèrement punie par la loi mauritanienne.

À titre personnel, je ne comprends pas comment un policier de haut rang comme vous, dans le cas d'urgence extrême, doit d'abord manger avant d'aller sauver les victimes en détresse. Là vous avez décidé de faire la non-assistance à une personne en danger. C'est vraiment touchant, parce qu'une personne qui respecte ses semblables n'allait pas réagir de la sorte. Vous avez dit sans équivoque « comme ce sont les noirs, vous allez manger d'abord, en plus, vous allez prendre un verre de thé, puis vous allez nous suivre, à condition que nous vous donnions 500 MRU ».

Vous venez de faire également une apologie du racisme et pourtant vous avez intérêt à ne pas le faire, car le racisme est la route de Satan comme disait un penseur « le racisme c'est haïr le bien pour le mal ». Comment un être humain peut-il détester son semblable jusqu'à le chosifier ? Comment un musulman peut-il haïr un autre musulman juste à cause de sa couleur corporelle ? Que choisiriez-vous entre un musulman qui déteste son semblable et un athée qui aime son semblable ? Où est la valeur de l'humanisme ? Où est cachée la valeur de l'islam ? Vous, vous êtes les représentants de tous les Mauritaniens et votre ultime mission est de veiller pour la sécurité de tous les Mauritaniens confondus.

— Hé petit ferme ta bouche ! Sinon tu finiras ta vie en prison. Tu sais à qui tu as affaire ? Je me nomme Yahya Ould Hamidine, je suis le descendant de la tribu d'Oulad Bisbaa et je suis un policier chevronné. Derrière moi, j'ai 9 ans d'expérience dans ce métier. Ce n'est pas un petit gamin noir comme toi qui va me donner la leçon du droit dans mon commissariat. Tu as la chance aujourd'hui, je suis content parce que c'est le jour du baptême de mon bébé, sinon tu serais déjà emprisonné. Je ne badine pas avec des inconnus, des petits pauvres comme vous. Vous êtes venus ici pour m'embêter ou vous êtes là pour que nous puissions vous aider ? C'est juste imaginable.

— S'il vous plaît, Monsieur, on perd du temps en se chamaillant, s'il vous plaît, on peut y aller. À dit Bouba Keita.

— Toi aussi tu me donnes maintenant des ordres. Sors immédiatement dans mon commissariat !

— Monsieur adjudant, avec tout le respect que je vous dois, ce n'est pas normal ce que vous faites.

Ces jeunes sont là pour sauver les vies des gens qu'ils ne connaissent même pas ; d'ailleurs dans l'ordre de choses vous devriez les féliciter plutôt que de les intimider. Je sais que je ne suis qu'un simple policier, votre subalterne, vous pouvez me faire sanctionner comme vous voudriez, mais face à la vérité, la hiérarchie est moins signifiante.

— Ah bon, tu as choisi de t'arranger à côté de tes frères : les noirs, c'est bien. Ahmed, Tislim, Ayouba, avant que je retourne, j'aimerais trouver Adama Ba dans la prison et il sera limogé dans les jours prochains.

— À vos ordres, chef ! dit les trois policiers haratins.

— Monsieur l'adjudant, dit Adama Ba, je sais que vous êtes mon supérieur et je sais que vous pouvez me faire tout ce que vous voudrez, mais n'oubliez pas que je suis plus grand que vous. Je fais 19 ans dans le service. 19 ans, je suis toujours dans le même grade. Et toi qui es venu hier tu es devenu mon supérieur au nom de ta race et de ta tribu. Je suis policier et je n'ai pas peur de la prison. Emmène-moi là où tu voudras maintenant ! Je ne changerai pas ma parole.

— Je m'occuperai de toi quand je rentrerai, inch'Allah.

Avant qu'on parte, où sont mes 500 MRU pour le gasoil ? Sortez vite mon argent ! D'ailleurs, comment vous vous appelez d'abord ?

— Je m'appelle Cheikh Diop, je suis le PDG des entreprises de transport terrestre en Mauritanie, au Mali, Sénégal... et je suis aussi le PDG des entreprises de transport aérien à Nouakchott.

— Attends, c'est toi qu'on invite régulièrement à la télévision mauritanienne.

— Oui, Monsieur, c'est moi.

— « Workhietou, mach 'Allah », tu es un grand boss. Désolé, vraiment, le grand patron. Tu es une personnalité très respectée dans ce pays. Si j'avais su vraiment que c'était toi, les victimes auraient pu déjà être depuis longtemps sur le lit de l'hôpital. On y va vite !

Arrivant à la scène de l'accident, ils trouvèrent les deux jeunes sans vie. Les policiers ainsi que les deux amis ont transporté tout de même les corps de ces deux individus à l'hôpital.

Après l'autopsie, le médecin qui était chargé d'eux avait écrit dans son rapport final que le décès de ces deux individus était causé par l'hémorragie interne et il avait conclu que s'ils étaient évacués à temps, ils auraient pu avoir une forte chance d'être sauvés. Quand, Cheikh Diop avait lu ce rapport, il était tellement choqué malheureusement, il ne pourra rien faire que d'intérioriser sa colère devant le préfet du quartier de Sebkha qui venait d'arriver également. « C'est toi qui as tué ces jeunes ! » avait tonné Bouba Keita. Et il continua : « Monsieur le Préfet, je vous le jure, mon ami et moi étions partis en courant comme des athlètes de haut niveau au commissariat de 5ᵉ. On a trouvé cet homme qui est juste à côté de vous avec son visage maussade. On lui a expliqué l'urgence de la situation. Mais il nous avait dit que comme c'était les noirs, il allait prendre son dîner d'abord puis prendre son verre de thé avant qu'il nous suive. Ce n'est pas tout, il nous avait demandé de l'argent pour acheter le gasoil de la voiture de fonction. En réalité, nous ne connaissons même pas ces deux victimes, nous avons voulu juste les sauver, au nom de l'islam, et de l'humanité. »

Merci « mes fils », dit le préfet, vous avez fait un travail remarquable et admirable. Si tous les Mauritaniens étaient comme vous, ce serait génial. Il y a de cela 7 ans que j'occupe le poste de préfet. J'ai sillonné plusieurs localités dans ce pays. J'ai vu et j'ai vécu plusieurs situations délicates, mais aussi extraordinaires. Cependant, jamais un citoyen avait fait un geste noble et honorable que vous venez de le faire. Je n'arrêterai pas de vous remercier à nouveau.

En ce qui concerne l'action que mon collègue a faite, on va vérifier si cela est vrai, il sera puni pour la non-assistance de personne en danger ainsi que contre le propos raciste. Enfin, nous allons commencer d'abord l'enquête pour connaître l'auteur de cet accident, mais aussi pour découvrir les identités de ces deux victimes ainsi que leurs familles. Je pense que vous aussi, vous pourriez nous aider à retrouver leurs parents ou leurs familles. Vous deviez publier les informations sur les réseaux sociaux pour faciliter la traçabilité de leurs familles. Passez une excellente journée « mes enfants ». Tenez mes coordonnées et vous pouvez me contacter à tout moment. Je compte sur vous. Je discuterai avec mes hiérarchies pour la reconnaissance nationale de votre acte noble.

C'était sur cette belle phrase de préfet que Cheikh et son ami ont quitté héroïquement le Centre Hospitalier de Nouakchott.

Comme, il était déjà 4 heures du matin, ils ont décidé d'aller passer la nuit chez Bouba Keita à Ksar. Mais il y avait encore un autre problème : le problème de moyen de transport. À cette heure de la nuit, la route était désertique. Les deux amis n'avaient pas d'autre option que de marcher vers Ksar. Ils évitaient à tout prix de passer par les ruelles dangereuses afin d'éviter les accrochages avec des bandits. Tout allait bien même s'ils étaient physiquement exténués, ils se communiquaient quand même. En 500 mètres, de chez Bouba, soudain trois hommes aux colères noires firent une irruption. Bouba et son ami ne comprenaient rien. Ils se voyaient au milieu de trois hommes. Brusquement, le plus robuste sauta sur Cheikh Diop, mit le couteau sur son cou, au même moment, le moins robuste pointa une arme sur le front de Bouba Keita, enleva puis chargea et demanda aux deux amis de ne pas faire un mouvement. Ils exécutèrent à la lettre sa demande. Bouba Keita trembla de la peur surtout, quand il pointa à nouveau le pistolet automatique sur sa tempe. Et le troisième individu contrôla méticuleusement les poches de leurs victimes. Ils avaient réussi un jackpot impressionnant : 44 000 MRU pour Cheikh

Diop, 21 000 MRU pour Bouba Keita et deux portables de marque iPhone 14. Avant de partir, ils ont remercié infiniment les deux amis pour leur coopération. Malheureusement leur belle soirée héroïque fut mal finie.

Chapitre 7

Lamine Mangane fut libéré après un long emprisonnement de 4 ans et 11 mois. Il a été relâché suite aux pressions des organisations non gouvernementales, nationales, internationales et même des gouvernements étrangers. Il devint alors la vedette de la ville de Nouakchott, la star, le symbole de la lutte contre la discrimination raciale en Mauritanie. On ne parlait que de lui dans tous les coins de Nouakchott, mais aussi dans les autres zones de Mauritanie. Il avait perdu plusieurs années scolaires en prison ; mais il avait écrit un livre exceptionnel, car il a su tirer les marrons du feu. Quand il était sorti, il usait de son aura pour faire attendre sa voix partout dans le monde. Il était même nommé personnalité de l'année de son pays par l'association des journalistes des radios et des télévisions privées de Mauritanie. Il était nommé au poste de porte-parole du Mouvement de la Mauritanie d'Abord. Malgré les menaces et des intimidations, ce mouvement continuait également à gagner du terrain comme d'habitude. Lamine Mangane devint une figure majeure de ce mouvement. Il écrivait tous les jours des articles critiquant le pouvoir en place. Ces articles étaient traduits en plusieurs langues internationales comme l'arabe, le français, l'anglais, l'espagnol et même le portugais. Il devient l'homme à battre en Mauritanie. Juste deux mois de sa sortie de la prison centrale de Nouakchott, il avait échappé trois tentatives de meurtre. Mais le même jour qu'il a échappé sa dernière tentative de meurtre, il avait écrit un virulent article critiquant sévèrement le racisme d'État en Mauritanie. Dans cet article, il avait comparé les Négro-Africains de Mauritanie au kurde irakien sous le régime de Saddam Hussein. Cependant juste 24 heures de la publication de cet article, Lamine Mangane et ses amis avaient décidé de commémorer pour la première fois en 5 ans jour pour jour la disparation de sa mère. Le MMA avait organisé la commémoration de 5ᵉ anniversaire de la mort de Madame Aissata Kane dans l'enceinte de l'hôtel Alquaima de Nouakchott. Il y avait un bain de foule dans cet hôtel, dont des Hommes de lettres comme Diallo Bios, Ba Khalid, Ahmed Mahmoud, Salihina Mousa Konaté, ou encore Zakaria Soumaré.

Il y avait également les Hommes des cultures musicales comme le groupe Diam MinTekky, Rim Soninké ou encore Bakha Tokha.

Il y avait également les journalistes engagés comme Bakary N'diaye, Khalil Diallo, Ahmedou Elwedia. Enfin, les personnalités de droit de l'Homme parmi lesquelles on pourrait citer Fatoumata Mbaye, Djeneba Djome, Yakharé Soumaré, et Aminetou Mint El Moctar… occupaient le premier rang, et les autres places ont été occupées par les partisans et les sympathisants du MMA.

Au début, tout allait bien. Lamine Magane en personne avait résumé, sous les applaudissements du public chaud, les programmes de la soirée. Dans la grande salle de cet hôtel, il régnait une atmosphère joyeuse et gaie. Les partisans et les sympathisants de ce mouvement brandissaient les pancartes, mais aussi les slogans hostiles au pouvoir en place, tandis que d'autres brandissaient le drapeau de la Mauritanie. Après, le discours tant attendu de Lamine Mangane, les hommages pleuvaient dans la salle. Les hommes de lettres lui portaient soutien à leur manière. Certains lui donnaient leur nouveau roman tandis que d'autres préféraient lui faire un poème qui envoûterait son âme. Ce fut le cas de Salihina Moussa Konaté, un jeune talentueux d'Agoïnett Guidimakha, qui avait lu un poème dédié à Lamine Mangane intitulé, Orphein du Racisme. Ce recueil de poèmes avait fait pleurer la salle entière. On dirait que chaque personne qui était dans la salle venait de perdre un être cher.

Soudain tout fut basculé. La soirée commémorative tourna au cauchemar, car à la surprise de tous, l'armée mauritanienne prit d'assaut cet hôtel et bloqua les entrées, tira en balle réelle. La violence de l'intervention était sans limite. Plus des 171 personnes ont été blessées parmi lesquelles 44 blessées graves. Et tous les leaders de ce mouvement ont été systématiquement mis aux arrêts. Cependant cette fois-ci, il y a eu plus la peur que le mal, car après 15 jours de prison, ils ont été libérés sous cautions.

Cependant leur avocat voyait leurs arrestations comme une mise en scène orchestrer par le gouvernement. Tout d'abord, les autorités compétentes avaient été tenues au courant de l'organisation de cette commémoration, car les leaders de ce mouvement avaient déposé leur autorisation auprès d'elles bien avant le jour J. Et elles avaient toutes donné leur feu vert également.

C'était pour cela que leur avocat avait décidé dans un premier temps de faire appel contre la libération sans condition de leurs clients. En second temps, il avait opté pour porter plainte contre la compagnie de l'armée qui avait dispersé illégalement et violemment la soirée commémorative de ses clients. Par ailleurs, le lendemain de leur libération, les jeunes gens organisèrent une réunion chez leur boss, Cheikh Diop. Leur discussion s'articulait autour des solutions pour sortir une bonne fois pour toutes dans cette injustice qui pesait lourdement sur la communauté noire de ce pays. Dans cette occasion, chacun avait pris la parole. Comme la Mauritanie se dirigeait tout droit vers les élections législatives, municipales, et régionales, Cheikh avait fait savoir à ses amis son intention de postuler pour la députation.

— Mes amis, dit-il, je décide de m'orienter vers la politique, car je sais qu'elle est la seule arme efficace capable de combattre, le racisme, la discrimination, enfin bref toutes formes des injustices que nous faisons face. Je m'y prépare avec pugnacité incroyable. Il est temps que la jeunesse mauritanienne prenne les choses en main. Tant qu'il aura ces vieux démons noirs aux affaires, nous serons toujours au dernier chapitre de l'histoire de ce pays. Et si la jeunesse noire de la

Mauritanie souffre amèrement aujourd'hui, ce n'est pas seulement à cause de Maures blancs. Il est temps de mettre le couteau dans la plaie. Ce sont aussi certains des hommes politiques négros véreux dépourvus de toute forme d'engagement social. La plupart parmi eux sont plus dangereux que les Beidanes. Ils ont passé plus de 40 ans sur la scène politique nationale. Ils ont pillé, pilé, dilapidé l'argent de pauvres contribuables. Ces inamovibles démons noirs ont construit un peu partout des villas démesurées. Ils roulent dans de grosses voitures qui dépassent quarante mille euros. Ces démons noirs de Mauritanie sont de grands mégalomanes, et des mythomanes… Quand ils sont avec les noirs, ils critiquent sans détour la politique de Beidanes. Mais s'ils sont avec les jeunes Berbères, ces mêmes vieux sont prêts à mettre à nu toute leur communauté, leur ethnie voire leur famille. Tout ça, c'est à cause des postes administratifs qu'on leur donne. Pendant les campagnes municipales, législatives ou présidentielles. Ces démons noirs aux cheveux blancs et leur soif d'obtenir des postes importants le poussent à aller hypothéquer, voire sacrifier l'avenir entier des gens de leur village pour la boulimie du pouvoir.

Je ferai en sorte de les balayer complètement, car comme disait un vieux de mon quartier « on ne peut pas passer son temps et passer le temps des autres à leur place ». C'est de l'égoïsme pire et dur, car passer son temps est une chose, mais passer le temps de l'autre à sa place c'en est une autre. Le président du mouvement pour sa part avait pris la parole : Cheik, j'ai saisi tout ce que tu as dit, mais personnellement quand nous étions en prison, j'avais pensé vraiment à faire de la politique, lorsque nous serions sortis. Cependant, aujourd'hui avec le recul, je ne suis pas prêt à la faire. Ce n'est pas parce que j'ai peur, mais juste étant président de notre mouvement, si je décide de me lancer dans la politique, c'est comme si je trahis la charte numéro 1 de notre organisation. Toutefois, je préfère faire mon combat autrement, car nous avons tous la même ambition peut-être que nous avons juste les tactiques différentes. J'ai l'intention d'écrire un roman pour dénoncer à ma manière toutes formes des injustices qui frappent durement la communauté noire de ce pays. Le titre de mon roman sera « Les Kurdes de Mauritanie ». Et dans ce roman, je ne me focaliserai pas surtout sur la recherche de l'esthétique littéraire proprement parlant, comme font certains de nos écrivains, car pour moi la mission de la littérature doit être systématiquement changée en fonction de la situation de son peuple. La vocation esthétique de la littérature devrait être valable que dans le pays riche. À mon avis, si un Finlandais ou un Canadien écrit un roman qui vise l'esthétique en d'autres termes, si son œuvre parle de la beauté de la nature, de l'amour, des œuvres d'art, je peux le comprendre et c'est normal moralement parlant. Mais si un écrivain qui vit dans un pays où les noirs n'ont pas de droits, ils n'ont que des devoirs comme dans le nôtre, dans ce cas, rédiger un roman qui parle des choses qui envoûtent le cœur, c'est de l'hypocrisie cuisante, car chaque romancier doit être une lampe qui guide son peuple aveugle vers la lumière de son époque. En plus, chaque écrivain qui est d'origine du pays qui est connu mondialement par son racisme doit être non seulement le témoin actif de son époque, mais plutôt une étoile qui guidera sa génération, mais aussi la génération future vers l'égalité et la dignité par sa plume piquante.

Cependant, je ne voudrais pas être un écrivain qui parlera des étoiles, de la lune ou encore de romance tant que mon peuplé pleure de la souffrance.

Je ne souhaite pas être un écrivain qui parlera des astronautes pendant que mon peuple m'interpelle, me demande une assistance sociale et économique ou identitaire. C'est pourquoi mon intention ne sera pas de faire plaire ou déplaire mes lecteurs. Mais étant président du mouvement très connu, ma seule arme légitime et légale que j'ai, capable de combattre toutes formes des inégalités dans ce pays sans effusion de sang, c'est ma plume noire. Ma plume noire m'aidera d'abord à me faire oublier momentanément de la misère de mon peuplé. En fait quand je suis seul je me sens coupable des injustes que les noirs de ce pays font face. Cependant, la seule façon de partager ma culpabilité avec les autres est d'accoucher ce que je ressens sur mes papiers blancs.

Contrairement à la politique, car en mon avis la politique est une arme la plus destructrice que le missile balistique. Avec la politique, il est plus facile de tuer des centaines de personnes ou de se faire tuer. Avec la politique, il est plus facile de semer le chaos décennal dans le pays sans même y penser. Enfin avec la politique, il est plus facile de mettre en danger la vie de ta famille. Donc c'est inutile. J'opte sans hésitation pour mes écrits. Mais je sais également que les écrits peuvent être dangereux. Néanmoins, il n'a pas d'impact direct comme la politique sur la population. Quoi qu'il en soit, si ce sont mes écrits sans complaisances qui me conduiront en prison, je suis prêt d'ores et déjà à partir.

Ismaël Thiam, quant à lui, avait épousé inconditionnellement l'idée de Cheikh Diop. Cheik, disait-il, je pense aussi que le remède à tous nos maux dont nous faisons face dans la vie de tout le jour c'est de la politique. Avec la politique, nous pourrons vaincre les barrières raciales qui freinent le vivre-ensemble dans notre pays. Avec la politique, nous pourrons reconnaître clairement tous les maux auxquels notre population fait face pendant nos déplacements durant les campagnes. Une fois que les problèmes de nos citoyens seront identifiés, nous tenterons de chercher des solutions pour alléger leurs souffrances. Avec la politique, nous serons plus respectés dans ce pays, étant donné que pour être respecté en Mauritanie il faut que tu sois une personnalité politique influente. Contrairement aux autres pays qui respectent les intellectuels. Dans ce pays, il n'y a pas la différence entre un intellectuel et un docker. C'est une triste réalité que nous ne pouvons pas nier quand même.

— Merci de me donner la parole, Ismaël Thiam, moi Bouba Keita, je ne condamne pas que l'un d'entre nous fasse de la politique. Mais je sais que si par exemple Cheikh Diop devient un politicien, il ne pourra jamais régler la moitié de problèmes auxquels les négros de ce pays font face. Nous les noirs de ce pays nous sommes victimes du système qui a été mis en place depuis les indépendances, donc ce n'est pas une personne qui aura la baguette magique pour nous faire sortir facilement dans cette caverne. Pour que les noirs de ce pays aient un jour la magistrature suprême, il faudra que cela soit une volonté nationale. Et pour que les Beidanes considèrent les candidats noirs comme des adversaires politiques potentiels et sérieux, il faudra d'abord que nous-mêmes, les noirs, nous ayons confiance à nos candidats. Il faudra également que nous trouvions des artisans de la conscience nationale et non de tribalisme comme certains... Il est temps vraiment de s'interroger sur comment la même race a pu s'accrocher au pouvoir dans un pays multiracial, pendant plus de la moitié d'un siècle ? Notre ami Cheikh Diop pourrait même être élu député national ou régional de Mauritanie demain. Mais en réalité qu'est-ce qu'il pourra apporter de nouveau pour soulager la souffrance des noirs dans ce pays en particulier et en général la souffrance des Mauritaniens confondus ? Rien ! Et absolument rien ! Si c'était la parole qui pouvait changer ce pays, nous n'en serions pas là aujourd'hui. Comme vous les savez tous, nous avons les hommes et les femmes négro-africains braves qui dénoncent toutes les dérives du système Beidane dans notre assemblée nationale. Nous avons également quelques poignées de Beidanes de bonne foi qui mettent toujours l'accent sur les problèmes des noirs. Mais pour qu'un projet de loi puisse passer, il faut le vote et ceux qui votent, ce sont les gens de ce système, c'est pour cela que rien ne bougera ici, du moins pour le moment. Le seul changement possible dans ce pays, c'est le changement social. Pour qu'il ait un tel changement, il faudra que nous continuions toujours à sensibiliser la population générale du pays, du risque à long terme auquel le pays fait face. Nous avons déjà notre mouvement apolitique. À mon avis, nous devrions rester loin de la politique pour sauvegarder la charte de notre mouvement. Un jour viendra, peut-être, nous serons déjà morts, car la masse populaire décidera par elle-même de faire tomber ce système pas par un coup d'État militaire, juste par des manifestions grandioses de toutes les composantes du pays et la nouvelle Mauritanie sans discrimination naîtra.

C'était au cours de leurs discussions sur leur avenir politique que la sonnerie de la maison de Cheikh Diop sonna ; il demanda à son majordome d'ouvrir la porte. La porte fut ouverte. Une femme blanche et ronde pénétra dans la maison. Elle suivit doucement le majordome jusqu'au salon où se tenait la réunion du Mouvement de la Mauritanie d'Abord. En voyant cette femme, tout le monde avait la frousse, car cette dernière avait un regard intimidant. Cheikh demanda respectueusement à cette énigmatique femme de suivre son employé dans un autre salon et il confirma à celle-ci que lui-même n'allait pas tarder de la rejoindre. Mais elle refusa de bouger là où elle était assise, elle dit à celui-ci qu'elle était déjà à l'aise ici.

Comme, la réunion touchée déjà à sa fin, le boss demanda à ses amis de se déplacer dans un autre salon, peut-être la femme avait une chose confidentielle à lui dire. Cette fantomatique femme dit à ce dernier de laisser ses amis écouter ce qu'elle est venue dire :

« As-Salam alaykum wa rahmatoullah, je suis venue faire mon mea culpa à Cheik. En effet, il y a de cela 19 ans que Cheikh et moi nous nous sommes connus. 19 ans c'est peu pour l'humanité, mais c'est vraiment beaucoup pour l'Homme. Durant ces 19 années, beaucoup de choses se sont déroulées dans notre vie. Quand nous nous sommes connus, nous étions des adolescents qui ignorons la souffrance de la vie. Contrairement à beaucoup d'adolescents, nous depuis notre première rencontre, le courant était vite passé. Nous discutâmes sur tous les sujets drôles de la vie. Nous parlâmes trop souvent de papillons, de flore, de faune, de la lune, des étoiles, de la mer et même du sable. Quelques fois, nous comptâmes les étoiles ensemble, mais aussi les tas de sable. C'était le moment le plus agréable et le plus magique de notre vie, car à cette période-là je pensais que la vie était une suite de plaisirs ininterrompus. Ces belles époques me manquent tant. C'était les moments qui resteront gravés indélébilement dans ma mémoire.

Un jour, il me parla de mariage : le mariage interculturel, interracial, plus précisément entre la peau noire et la peau blanche, c'est-à-dire entre lui et moi. J'ai été estomaquée, le mot n'est pas dur, je voulais dire, j'ai été révoltée, car depuis ma naissance jamais j'avais entendu ou vu un noir qui épouse une blanche.

En d'autres termes, je n'ai vu depuis mon existence, un noir de Mauritanie qui s'est marié avec une Mauresque comme moi. D'ailleurs, je croyais même que c'était abominable. Un jeudi, je me rappelle comme si c'était hier, quand il m'a demandé en mariage, ce fut la première fois dans la vie qu'un homme me parla de mariage. J'étais trop jeune, d'ailleurs durant cette période, le terme « mariage » n'avait pas un sens particulier pour moi. Mais quand j'ai longuement médité, j'ai compris que ce mot symbolisait beaucoup pour une femme, quel que soit son âge. En réalité, d'un côté, j'ai été heureuse, car j'avais su que moi aussi j'avais été utile devant les hommes. Mais de l'autre côté, je me suis sentie abattue qu'un noir ait le courage de demander en mariage une fille mauresque. Face à cet embarras de choix, j'avais choisi le silence. J'ai été raciste, car ce sont mes parents qui m'ont inculqué cette sale culture. Ma mère était raciste, mais avec un peu de modération. Cependant, mon père, lui, avait la phobie même de parler avec un noir. Il détestait amèrement tout ce qui était noir. C'était pour cela d'ailleurs qu'il ne portait jamais d'habits noirs ni des chaussures noires.

Honnête, sincère, sérieux, romantique et humble, il était certainement, c'était pour cela que j'ai été obligée de casser la barrière raciale qui nous séparait. J'ai accepté de me fiancer avec lui malgré tant de menaces de mort, de chantages qui pesaient sur moi. J'avais juste compris que l'amour était au-dessus de la couleur de la peau et je me suis engagée pleinement. Je me rappelle comme si c'était ce matin le jour même où Cheikh devait s'envoler pour Paris, il m'avait invitée chez lui, me prépara avec amour deux plats locaux de wolof, notamment « yassa et lakha », je ne sais pas si j'ai bien prononcé les noms. Une fois qu'il était en France, quelle que soit la cherté de la vie française, il faisait tout ce qui était en son pouvoir pour que je me sente financièrement stable. J'ai été stable grâce à lui et il m'avait acheté une voiture de sept mille euros, et chaque mois, il m'envoyait cent euros.

Par contre, quand il était retourné au pays, la chance ne lui avait pas souri tout de suite. Il a passé des moments difficiles, voire infernaux. Il menait vraiment une vie de pauvre. Lorsque nous étions à la phase terminale de la préparation de notre mariage, j'ai été emportée par une dépression indescriptible.

J'avais même commencé à me poser des questions à moi-même ; je me disais souvent « peut-être que j'ai fait un mauvais choix de le choisir ». Des fois, je prenais mon téléphone et j'écrivais un message d'adieu, mais je n'arrivais pas à le lui envoyer. Souvent aussi je l'appelais pour lui dire de me laisser, mais la façon dont il me recevait au téléphone m'empêchait catégoriquement de lui dire quelque chose de mal. Et c'était pendant cette période la plus sombre de ma vie, j'allais dire la plus complexe, qu'un richissime homme se présenta à moi comme mon ultime sauveur. Il m'avait promis de me faire rouler sur l'or, de me faire voyager partout dans le monde, de m'acheter des bijoux en or et en diamants. De même que mes parents n'aimaient pas les noirs, quand je leur ai parlé de lui, ils ont tous accepté sans même me poser des questions sur son profil psychologique. Naïve que j'étais, je croyais à tout ce que cet homme me disait. Et comme j'avais été adepte d'une vie de démesure, je m'y suis vite mise à fond. Au début de notre mariage, nous entretenions une parfaite relation. Nous étions tellement heureux comme tout couple normal. Mon mari m'aimait trop et me respectait gravement. Il ne voulait pas que je fasse des tâches ménagères. J'avais beaucoup d'argent, des chaînettes, des bracelets, des bagues et des montres en or et en diamant. Il m'avait fait visiter 22 pays dans tous les continents du monde en deux mois. Quand j'étais seule dans ma chambre, je ne sais pas si tu vas me croire, c'était toujours nos souvenirs qui revenaient se loger dans mon cœur. Je pensais à toi constamment. Je suis allée voir un psychologue deux fois, mais en vain. Il m'arrivait parfois de dire aussi que « ça y est, j'ai tout eu dans ma vie et je devrais t'oublier ». Mais cette idée habitait mon cœur exclusivement quand je croquais la vie à pleines dents avec mes amies. D'ailleurs, c'était le seul moment où je me sentais à l'aise. Souvent je pleurais et quand je voyais mon mari pénétrer dans ma chambre, je lui faisais les yeux doux juste pour lui faire plaisir, mais en mon for intérieur, j'étais meurtrie, car tu étais l'unique amour véritable de ma vie. Après quelques années de mariage, notre relation avait commencé à battre de l'aile. Du coup, on avait commencé à nager dans le flou. Mon départ chez mes parents était le seul moyen de couper court à nos disputes quotidiennes. Mais une semaine après mon départ, mon mari vint chez nous, me demanda pardon devant mon père et ma mère.

J'acceptai, car chez nous, quel que soit le courage d'un homme, il ne peut pas affronter directement sa belle-famille. Deux jours après notre réconciliation, mon époux commença à me montrer son vrai caractère. Depuis ce jour-là jusqu'aujourd'hui, ce sont des montagnes de malheurs qui me suivent. Ainsi, mon mari enterra le bon comportement qu'il avait volé pour m'embobiner et il laissa tomber le masque qui cachait son vrai visage. Il était devenu un homme sadique et complexe. Il me frappait avec des objets contondants, il tirait souvent mes cheveux jusqu'à ce qu'ils se découpent. En un mot, je subissais toutes formes de violences conjugales. Nous n'étions que deux dans la maison donc, quel que fût le cri de détresse que je poussais, personne ne m'entendait. J'ai été faible, sans défense devant lui, car je me rappelle un jour, il m'avait battue jusqu'à ce que ma peau fût enveloppée d'hématomes. Quand j'ai montré cela à ma mère, elle me conseilla de régler cette affaire à l'amiable avec lui. Ma mère ajouta que ce serait mieux que je reste avec lui, quelle que soit sa méchanceté, car il était suffisamment riche. Malheureusement, j'ai continué à résister sous la pression indescriptible de ma mère et l'insistance de mon père. Un samedi soir, il me demanda de l'accompagner au restaurant. Comme ce jour-là je ne me sentais pas bien, j'ai gentiment décliné sa demande. Il commença à m'insulter. Et quand je voulus lui dire qu'un homme n'avait pas le droit d'insulter sa propre femme, il me versa de l'eau chaude. Heureusement, j'avais pu esquiver à temps, donc j'ai été légèrement touchée. Là encore, je supportais ce calvaire, car mes propres parents défendaient cet homme sans honneur ni cœur.

En plus, un jour, sept hommes en cagoules, lourdement armés, débarquèrent dans notre domicile, ils nous réveillèrent, demandèrent à mon mari de se déshabiller tout en lui pointant une arme sur la tempe. Il s'exécuta sans résistance. Ces inconnus lui demandèrent de sortir tout ce qu'il avait caché. Il fit sortir deux petites valises : l'une remplie de monnaie nationale et l'autre bourrée de devises étrangères. Il y avait également deux grandes valises remplies de cocaïne. L'un de ses bourreaux m'avait signifié que c'était mon mari qui fut leur chef et qu'il les avait trahis trois fois sans qu'ils réagissent.

L'un des braqueurs, avec son étonnante dynamique, conclut avec une voix tonitruante que mon mari sera tué dans les minutes qui suivent, en me brandissant l'article numéro 1 de leur gang qui stipulait « celui qui trahit trois fois les autres gangs doit être éliminé physiquement, quel qu'en soit son statut ».

Quand j'ai lu cette phrase, j'avais froid dans le dos. J'avais tout fait pour mettre mon mari hors d'état de nuire, mais en vain. Ainsi, mon mari fut fusillé devant moi. Il avait pris en tout trois balles de chacun d'eux, c'est-à-dire 21 balles au total.

Malgré toutes ces preuves matérielles, je ne croyais pas trop ce qu'ils reprochaient à mon mari, mais j'ai fini par y croire quand, ils ont sorti un sac où il y avait des documents de tous les trafics de drogue qu'ils avaient faits au niveau national et international. Il y avait même plus de 18 documents et 14 lettres, tous signés par mon mari. Quand j'ai vu les signatures de mon mari, j'ai commencé vraiment à mesurer les dangers auxquels je faisais face. Ce n'est pas tout, quand ils m'ont fait écouter ses messages vocaux, je suis restée sans voix. Et j'ai su désormais que je ne vivais pas avec un homme riche qui avait battu sa fortune de manière légale et licite, mais plutôt avec un monstre malhonnête, voire un mafieux professionnel.

J'ai été kidnappée à mon tour. Ils m'ont enveloppé un bandeau noir avant de me conduire dans un endroit inconnu. Une fois que nous sommes arrivés dans leur secteur, ils m'ont enlevé le bandeau noir. Aussitôt, un lien amical a été vite établi avec mes bourreaux. Je suis tombée éperdument amoureuse de l'un d'eux comme si j'étais dans un film romantique. Après un mois dans cet endroit que je ne reconnais toujours pas jusqu'aujourd'hui, leur chef me libéra, me demanda à me conduire chez moi. J'ai refusé catégoriquement de quitter là-bas, je veux dire, leur monde monstrueux. Durant cette période-là, je crois que j'ai été atteinte d'un syndrome de Stockholm. Pendant quelques mois, quand je retrouvai la raison, je finis par quitter ce lieu diabolique. Et je me suis rendu compte de ma folie, une fois que je suis rentrée à Nouakchott.

En outre, le jour où Cheikh était invité à la télévision nationale pour parler de ce que les journalistes mauritaniens appelaient « le miracle Diop », je suivais l'émission en direct avec une attention particulière. Après l'émission, je l'ai appelé et me suis fait passer pour une autre personne juste par honte.

Je me suis fait passer en pseudo : Amina Mint Zahara. Ce nom est sorti hasardeusement dans ma bouche. En réalité, je suis ta Fatima Mint Zahara. Le jour où tu étais venu chez moi avec Bouba Keita ici présent, j'avais évité constamment que nos regards se croisent pour que tu ne me découvres pas.

En vérité, j'avais voulu te dire la vérité. Ce jour-là, hélas, j'ai manqué considérablement de courage.

De plus, l'argent que tu m'avais prêté pour que je te rembourse dans 15 mois, j'ai tout perdu suite à plusieurs problèmes financiers. Mais je veux te rembourser quand les choses vont se rétablir. Je pense que tu te rappelles le jour où je t'avais dit que mon fiancé était allé à Dakar et qu'il avait vu ta fiancée ; je t'avais même montré sa photo. Tout cela était une mise en scène orchestrée par mon ex-fiancé. Il m'avait dit tout ça, car il voulait que je t'oublie complètement. Il avait monté ce mensonge ravageur pour que je t'oublie et qu'il te substitue, parce qu'il sentait que je t'aimais toujours.

Pour conclure, peut-être tu ne vas pas me croire, mais je suis égarée sur une route qui ne reflète pas ma vraie personnalité. Jamais je ne t'avais oublié au fond de mon cœur. Jamais je ne t'avais abandonné dans mes pensées. Jamais je ne t'avais détesté au fond de moi. J'avais juste fait un mauvais choix. Je voulais juste rendre mes parents heureux. Je te demande pardon, au fond de mon cœur. Durant cette période, je sais que je n'étais plus moi-même. Je pense même que j'ai été possédée. Je voulais la belle vie : argent, belle voiture, voyage… Je les ai eus, mais mon sale passé m'a rattrapé. Aujourd'hui, je suis totalement perdue, dans un brouillard touffu de souvenirs sombres qui m'ont obnubilée. Mon Cheik, je reconnais que tu avais tout fait pour que notre vie soit belle et je n'avais pas le droit d'être injuste envers toi, mais…

Je sais que c'était moi qui ai été égoïste, ingrate, extravagante, égocentrique, voire narcissique. J'ai beaucoup pleuré de t'avoir laissé à cause de la richesse. Des fois surtout, quand je fouillais nos anciens messages, je souffrais profondément. Mon cher Cheikh, je suis venue te dire, si tu peux bien me laisser une seconde chance. Je te promets que je ferai substituer les nuages qui planaient dans notre relation par une pluie de l'amour et de la paix.

J'utiliserai tout ce qui est en mon pouvoir pour t'apporter de la joie et du bonheur que tu m'avais toujours apporté, quand nous étions ensemble. Je ferai l'impossible pour te donner ce que tu méritais depuis toujours. Je suis prête à faire ma vie avec toi, même si tu voudras prendre une deuxième ou même une troisième épouse, je suis partante. En fait, je veux juste me marier avec toi, car tu étais et tu es toujours la lumière qui illumine ma vie. Les conforts je n'en veux plus, car j'ai été dans les conforts, mais en réalité la vie dans le confort est une vie très complexe. Je pense que tu vas me comprendre malgré tant de choses que je t'ai faites. Je pense que tu vas accepter ma proposition malgré la douleur que je t'avais faite. Je suis désolée de prendre plusieurs minutes de votre soirée. »

Cheikh Diop était stupéfait d'entendre la voix de son ex. Il était resté suspendu, sans mot, avec son bloc-notes dans sa main droite. Il croyait toujours que c'était une autre femme qui voulait se faire passer à son ex, Fatima Zahara. Celle qui était devant elle était différente de sa Fatima. Mais la voix de celle-ci était approximativement similaire de cette dernière. Toutefois, il était toujours dans l'ambiguïté. Il continuait à regarder sans cesse cette atypique femme. Mais, il y avait un obstacle, car même si Cheikh la fixait, cela ne servait à rien, parce qu'elle avait pratiquement couvert toutes les parties de son corps. Finalement, après plusieurs moments de doute et d'incertitude, cette dernière montra à Cheikh la cicatrice qu'elle avait à la pomme de sa main gauche. Quand Cheikh a vu le signe de cette ancienne blessure, il confirma avec certitude que cette nébuleuse femme était bel et bien son ex-fiancée.

Ce n'est pas tout, elle montrait également la première bague que celui-ci lui avait offerte. Devant les regards fuyants de ses amis, Cheikh accepta de pardonner à son ex et accepta même de se marier avec elle, comme deuxième épouse ; comme, il était déjà fiancé avec une de ses cousines. Courageuse qu'elle était, Fatima Mint Zahara demanda à Cheikh d'appeler sa fiancée pour lui demander son accord. Cheikh hésita, mais quand elle commença à pleurer, celui-ci demanda elle-même de trouver la solution avec sa fiancée. La brave Fatima avait fini par convaincre la nouvelle fiancée de Cheik.

Les amis de Cheikh étaient contents de voir leur boss rire jusqu'aux oreilles ; après beaucoup d'années émaillées de mensonges, de trahisons bref de la déception. Cheikh retrouva enfin le bonheur de vivre qu'il avait perdu depuis le jour où cette femme l'avait mis sur le banc de touche. Il retrouva son amour véritable. Celle avec qui ils avaient grandi ensemble... Cheikh n'a pas tardé à prendre la parole :

Mon grand-père disait : « La patience est la mère de l'espoir et l'espoir est la clé de la réussite. » Ma chère Fatima, tu es pardonnée, certes, dans la vie, il ne faut jamais suivre l'apparence. Mon grand-père disait encore : « L'apparence peut cacher un cauchemar. » Tu m'as quitté pour un homme qui était extrêmement riche, mais jamais tu ne t'es demandé un jour d'où il avait puisé cette immense fortune qu'il avait en sa possession. Jusqu'au jour où tout était clair pour toi. Par contre, moi j'avais choisi le chemin de la patience c'est-à-dire le chemin le plus long, le plus dur, mais le plus sûr. Pour en arriver là où je suis aujourd'hui, j'ai subi l'humiliation, le rejet, le traumatisme, mais je n'ai pas cédé, car pour réussir dans la vie on doit croire aveuglément à ce que l'on fait. Mais je dois te dire une chose devant mes amis. Jamais je ne voudrais attendre un jour que tu as disputé avec eux, d'ailleurs aujourd'hui je les considère comme ma deuxième famille. Si aujourd'hui mes entreprises sont très florissantes, c'est grâce à eux, car ils travaillent de manière acharnée dans la vie de tous les jours.

Enfin, je dois m'entretenir avec mes parents. Si tout va bien d'ici la fin de ce mois, nous allons finaliser officiellement nos fiançailles et à la fin du mois prochain, si tu es prête bien sûr, nous pourrions faire notre mariage.

Chapitre 8

Si par le passé certaines tribus de commerçants Beidanes n'ont pas pu faire tomber maintes fois les entreprises de ce jeune wolof, cependant cette fois-ci, elles ont changé carrément leur méthode. Comme les entreprises de ce dernier continuaient à germer un peu partout sur le sol mauritanien, les Maures blancs des tribus Deboussatt, Dawaly, Kounta et d'Ouladeberi étaient partis voir le ministre d'Équipement et de transport pour qu'il fasse tomber ce fringant jeune dans le monde de transport en Mauritanie. Ces puissants du commerce mauritanien n'étaient pas allés la main vide chez le ministre. Ils lui ont donné une avance de 2 000 000 MRU.

Quoi qu'il en soit, leur déplacement a été couronné du succès, car le ministre avait promis à ces tribus, la chute inéluctable et rapide du nouveau magnat de transport mauritanien.

Il était exactement 17 heures 35 minutes, comme chaque jeudi soir, Cheikh et son comptable faisaient le compte hebdomadaire dans le bureau de sa plus grande agence de transport de Nouakchott. En plein calcul, un homme se présenta à lui comme faisant partie des personnels de l'impôt, lui donna la facture de son impôt. Cheikh était occupé et passa la facture à son comptable, Bouba Keita. Ce dernier était étonné de lire ces chiffres astronomiques qui étaient mentionnés sur la facture. Bouba répéta haut et fort à son boss et ami que l'impôt annuel d'une seule entreprise s'élevait à 800 000 MRU. Le Monsieur a fait sortir la facture de l'impôt annuel de sa deuxième agence de voyages. Là encore on pourrait lire une somme vertigineuse de 600. 000 MRU. Le monsieur en question confirma à Cheikh qu'il lui apportera les factures des impôts de ses autres entreprises le lundi soir à la même heure.

— Monsieur, comment mes impôts annuels peuvent-ils atteindre les chiffres que moi-même je ne peux pas atteindre en 3 mois ?

— Monsieur Cheik, je ne suis rien dans tout ça, c'est ma hiérarchie qui m'a demandé de te remettre ces factures. Je n'avais même pas lu. En réalité, je sais que c'est trop. Peut-être celui qui saisissait les factures avait commis une erreur.

Je te conseille de partir dans le bureau central des impôts dès demain matin pour vérifier toi-même, si ce n'était pas une erreur de sa part. Vous devriez partir tôt, car demain, c'est le vendredi ; les employés rentrent chez eux à 11 heures.

— Merci, Monsieur, si Dieu le veut j'irai là-bas demain matin, inch'Allah.

Il était 9 heures 47 minutes quand Cheikh se pointa dans le bureau du service de réclamation. Celui qui dirigeait ce service appela directement, le Directeur de Ressources humaines. Ce dernier arriva en courant. Après quelques minutes des vérifications dans son ordinateur, il confirma à celui-ci qu'il s'était trompé du calcul, en d'autres termes qu'il y avait une grosse erreur du calcul. Cheikh était très content d'entendre cette phrase sortie dans la bouche de cet homme. Il a même donné une bouteille d'eau fraîche qu'il avait au planton qui nettoyait le bureau. Malheureusement, sa joie fut de courte durée, car, lorsqu'il arrêta de sourire, le Directeur jeta le caillou dans l'eau en disant : « nous, nous sommes trompés du calcul. Tu devrais payer 1,000 000 MRU au lieu de 800 000 MRU dans ta grande entreprise et là où on t'avait écrit 600 000 MRU, tu devrais payer 800 000 MRU ». Cheikh ne décolère pas. Il demanda au DRH de lui montrer comment il avait calculé ça. Le DRH rejeta la proposition de celui-ci. Il se fâcha et monta au créneau. Il avait même voulu bagarrer là-bas, cependant, c'était les gens qui étaient présents qui l'avaient calmé.

Après, plusieurs semaines des tractations et des zizanies, le DRH accepta de se confesser à lui. Il invita le jeune entrepreneur mauritanien chez lui. Il lui avait fait savoir que lui-même était juste une pièce de conviction. Autrement dit, il n'était qu'un comparse et non un cerveau central de cette affaire. Il avait également dit que derrière ses impôts, se cachait la main invisible de ministre d'équipement et de transport en personne, car c'était les tribus de commerçants arabes trop puissants du pays qui étaient allés lui voir pour qu'il lui rende la vie infernale. Enfin, il avait confirmé à celui-ci qu'en réalité les impôts annuels de toutes ses entreprises de voyage terrestre et aérien ne devaient pas dépasser 500 000 MRU. Cheikh Diop a compris qu'il était toujours dans le maillet du filet de Maures blancs et il décida d'organiser une réunion extraordinaire avec ses employés pour faire éventuellement une contre-offensive. Mais en aura-t-il le temps et le moyen ?

— Chers employés, chers amis, je m'excuse d'abord d'organiser cette réunion d'urgence, puisqu'aujourd'hui est un jour de repos. Mais si vous voyez que je décide d'organiser cette tenue, c'est par ce que l'heure est grave. Nous sommes tous dans une situation inconfortable. Sans trop tarder, je dois vite rentrer dans le vif du sujet. En effet, hier j'ai été invité chez le Directeur des Ressources humaines des impôts. Cet homme m'a signifié que quelques tribus de commerçants berbères de ce pays ont orchestré un complot ourdi pour me faire éliminer financièrement parlant.

Ces personnes mal intentionnées sont allées jusqu'au domicile de ministre de Transport. Ce dernier leur a donné le feu vert pour me faire chuter dans les jours à venir. C'est pour cela que ces groupes d'hommmes sans cœurs sont allés voir directement le Directeur des Ressources humaines des impôts pour qu'il falsifie le montant des impôts de mes entreprises. Le DRH m'avait confirmé que l'ensemble des impôts de mes entreprises n'allait même pas dépasser 500 000 MRU par an. Juste pour mes deux entreprises, la direction des impôts m'a demandé de payer 1 800 000 MRU. Imaginez-vous les autres entreprises ! En tout cas, la somme pourrait atteindre plus de 4 000 000 MRU. En fait, moi je ne suis pas là pour alimenter l'économie mauritanienne. Je suis là d'abord, pour essayer de gagner ma vie comme tout Mauritanien. Comme c'est le gouvernement qui veut couper méthodiquement l'herbe sous mes pieds, je ne peux rien faire, car me battre contre le gouvernement ne me fera que reculer de 15 ans en arrière. Si nous étions dans un pays où les instruments juridiques fonctionnaient comme il faut, je pourrais au moins porter plainte. Mais ici, si je le fais c'est moi-même qui serai le perdant, puisqu'ils sont partout et je ne pourrai pas leur échapper. Notre but était d'aller en avant, c'est-à-dire de développer notre pays en créant des emplois pour la jeunesse. Cependant, comme quelques groupes de Berbères les voient mal, nous ne pourrons rien faire. Ce n'est pas grave. C'est la vie et nous devrons l'accepter comme ça. D'ailleurs ce n'est pas une surprise pour moi, car j'ai vécu le pire dans ce pays-là. Ce n'est pas de ma faute non plus, si je suis noir au contraire je suis content de cette belle couleur que Dieu m'a donnée, et je ne regretterai point de l'être jusqu'à la fin de mes jours.

Ceux qui pensent qu'un noir n'a pas le droit de réussir, je vous jure, ces gens ont juste un coefficient intellectuel trop limité qui ne leur montre que ce qui est devant leurs yeux et non ce qui est loin.

Depuis que j'ai créé ces entreprises, Dieu merci, je n'ai jamais eu les problèmes avec vous. Vous êtes des gens géniaux et spéciaux, donc vous ne méritez que du respect. Mon rêve est que nous restions ensemble jusqu'à la mort, quelles que soient les circonstances de la vie. Ainsi, je décide de prendre vraiment une décision difficile, voire radicale, mais cruciale. Comme nos frères Beidanes nous considèrent comme les Kurdes de Mauritanie, je décide de fermer d'ores et déjà toutes mes agences de voyage terrestre et aérien qui sont sur le sol mauritanien. Je décide également de quitter désespérément mon pays qui m'a vu naître et grandir pour aller continuer mon business au Sénégal, car nos frères Beidanes nous ont montré ouvertement que ce pays ne nous appartient pas. Je suis conscient que quitter définitivement ma Mauritanie natale que j'aime tant est tellement difficile, mais dès aujourd'hui, je dois accepter ce sacrifice pour protéger la vie de mes entreprises. Cependant, il arrive un moment dans la vie où on n'a pas d'autre choix que de prendre une décision radicale devant une situation insupportable.

Et ce qui m'a vraiment choqué dans tout ça, la délégation de ces tribus maures blanches qui veulent me tuer commercialement parlant à sa tête, il y a notre Mohamed Lemine. Mohamed Lemine avec lequel nous avons pris l'engagement de changer la Maurétanie ensemble. C'est la même personne qui est le chef de la délégation qui veut me faire disparaître économiquement parlant. Non, j'ai rêvé ! Personnellement, je lui pardonne, car si on a le cœur qui se nourrit de la haine et de la rancœur, cela nous poussera à détester inutilement tous les Maures blancs ; alors que parmi eux, il y a de gens qui sont gentils. En un mot, ces gens peuvent nous empêcher de progresser en Mauritanie, mais ils ne pourront pas nous empêcher de nous développer ailleurs. C'est ainsi que je vous demande respectueusement de venir travailler avec moi au Sénégal. Comme vous le savez, j'ai des entreprises en Côte d'Ivoire, au Mali et maintenant même au Togo. Je ne peux pas vous laisser comme ça ; vous êtes plus de 70 personnes qui travaillent pour moi et parmi vous il y a les pères de famille, des orphelins…

Je m'adresse à tout le monde, y compris aux 8 Maures blancs qui travaillent avec nous. Personnellement, je n'ai rien contre vous. Je sais que vous êtes rien dans tout ça. Seulement comme vous êtes des Maures blancs et ce sont eux qui m'ont fait un coup donc, je suis obligé de parler d'eux certes, mais je sais que tous les Beidanes sont les Beidanes, mais je sais également que tous les Beidanes n'ont pas le même comportement. Depuis que vous êtes avec moi, je n'ai jamais eu de problème avec vous et je veux que notre relation reste éternellement la même. Je m'arrête là. Yedaly Ould Mohamed, je te donne la parole, dit Cheikh Diop.

— OK patron, mais pourriez-vous m'accorder 5 minutes, mes parents et moi allons nous voir en privé et après, je veux parler au nom de tout le monde ? Pendant que Yedaly Ould Mohamed appela ses frères Beidanes pour analyser ensemble cette situation alarmante à laquelle ils font face, Cheikh demanda à Ismaël Thiam de parler.

— Merci, mon boss, dit Thiam. Cheikh, mon grand-père disait « si l'ennemi pénètre chez soi, tu n'as pas d'autre choix que de se défendre », Cheikh je t'estime beaucoup, mon frère. C'est grâce à toi que nous sommes pénards aujourd'hui. Tu aurais pu nous rejeter comme notre ex-ami nous l'a fait, je veux dire Mohamed Lemine. Malgré ta richesse, tu ne nous considères pas comme tes employés ni comme tes collègues, mais plutôt comme tes frères de même cordon ombilical. Je sais aussi que toi et moi, nous partageons plusieurs points communs surtout sur le plan décisionnel. Cependant aujourd'hui je ne partage pas tes idées. Du fait de dire que ces gens sont nos amis, cela est une insulte à notre identité, car pour moi, je ne peux pas être le frère de celui qui ne me reconnaît pas comme étant un être humain. N'oubliez surtout pas depuis que nous nous sommes retournés dans ce pays, ce sont les successions de problèmes qui freinent notre développement : nous étions bloqués maintes fois par leur concours entaché des mensonges inédits. Penses-tu que celui qui a injustement radié mon nom dans les listes des admis pour mettre le nom de son enfant pourra-t-il être mon ami ? Non, jamais je suis peul et j'ai mes principes moraux qui m'empêchent d'accepter certaines humiliations. Pardonner, c'est bon en une condition, si celui que tu pardonnes reconnaît ses erreurs. S'il te plaît, je ne veux pas que tu trahisses le mot « frère », parce qu'un frère ne nie jamais l'existence de son frère.

Un frère ne peut pas mépriser son frère jusqu'à le chosifier. Si nous étions vraiment des frères, ils n'allaient pas nous massacrer dans les années de braises. Si vraiment nous étions des frères, il n'y aurait pas eu l'école polytechnique et le lycée excellence qui ne regroupent que ces Berbères. S'ils étaient nos frères, il y n'aurait même pas d'admis Berbères qui se représenteraient aux concours nationaux, car on se connaît bien. Savez-vous que les Berbères aiment les noirs qui disent, il faut gommer le passé, il faut oublier certaines choses. Ces catégories de personnes sont tellement respectueuses dans leur communauté. Mais moi je n'ai pas besoin d'une caresse de leur part. S'ils pensent que le passé douloureux de la Mauritanie n'a nullement de valeur pour eux, c'est le contraire pour nous, car le passé est pour nous un vrai témoin pour clarifier le présent.

Par contre j'ai beaucoup aimé de travailler avec toi durant toutes ses années. Mais comme tu as décidé de délocaliser toutes tes entreprises qui étaient en Mauritanie vers le Sénégal. C'est toi qui es le PDG et j'accepte entièrement votre décision. Seulement moi je ne bougerai point en Mauritanie, car un proverbe africain dit « quand on danse avec un aveugle, de temps en temps, il faut le piétiner pour qu'il sache qu'il n'est pas seul ».

J'ai pris l'engagement de ne plus reculer devant les Berbères. Ils nous ont déjà forcés à quitter ce pays pendant les événements de 1989 à 1991. Et maintenant tu veux que cette fois-ci, on quitte notre pays que l'on aime tant volontairement. Non, c'est impossible ! Je suis convaincu que le statut de l'Homme noir dans ce pays est à peine supérieur à celui de l'animal. Mais nous devrions rester ici et lutter pour arracher nos droits, les plus basiques. Je sais que ces gens continueront à nous marginaliser, mais moi je veux me battre non seulement pour moi, mais pour l'avenir de mes enfants, pour le futur de tous les enfants mauritaniens. J'aimerais que mes enfants naissent dans une Mauritanie nouvelle, une Mauritanie dans laquelle l'égalité de chance sera exigée. Je veux que mes enfants naissent dans une Mauritanie que tous ces fils travailleront ensemble pour l'intérêt supérieur de la nation et non pour le clientélisme ou le favoritisme. Pour que ce magnifique rêve se réalise. Pour que chaque Mauritanien ait ce qu'il mérite, nous devrions rester sur le champ de bataille.

S'il faut mourir en martyr pour augmenter les pages de chapitres d'histoire de notre pays, je suis prêt à le faire. Mais mon frérot, je comprends votre inquiétude, car un chef des entreprises ne peut pas penser comme une personne qui n'a pas une entreprise. Allez, installer vos entreprises au Sénégal c'est une bonne idée, car au moins là-bas tes entreprises seront protégées par la loi. Je pense même que les autorités sénégalaises vous accueilleront les bras ouverts parce que le Sénégal est un pays où le gouvernement soutient des investisseurs étrangers. Je te souhaite bonne chance.

— Mon cher Ismaël Thiam, dit Kolo Koulibaly, je comprends parfaitement le sentiment patriotique qui t'anime. Je sais que tu es vraiment un homme brave. Quand nous étions en prison, tout le monde était craqué sauf toi et moi. Toutefois, il arrive souvent un moment dans la vie que l'Homme prenne une décision qui va changer complètement positivement ou négativement sa vie. Et pourtant tu peux amener ton combat avec toi là où tu t'en iras. La Mauritanie n'est pas seulement le lieu où tu peux dénoncer les injustices. Aujourd'hui avec la mondialisation tu as plusieurs opportunités de continuer ton combat par plusieurs canaux des communications. Notre combat dans ce pays c'est d'abord la cause noire. En d'autres termes, notre lutte était une lutte purement sociale. Notre ambition phare était de faire en sorte que chaque Mauritanien sans distinction de race puisse connaître sa place. Mais imaginons ensemble, est-ce que les noirs pour qui nous avons combattus nous ont-ils tous reconnus au moins ? La réponse est non, car nous sommes tout le temps insultés sur les réseaux sociaux par nos frères noirs. Certains nous qualifient même de profiteurs. Ceci dit, notre combat n'est pas facile, il sera dur et long, mais la seule chose que je peux te dire est de croire en tout ce que tu fais, car si on est convaincu d'une cause noble personne ne pourra te dérouter. Pour revenir sur la proposition de notre cher ami Cheik, je ne peux pas aller travailler dans les pays qu'il a cités. Je le remercie infiniment de tout ce qu'il nous a fait, c'est grâce à lui que nous sommes aujourd'hui économiquement épanouis. Par conséquent, je décide aussi de changer d'air. Je veux aller tenter ma chance ailleurs. Comme ma Mauritanie m'a rejetée, m'a refusée, malgré tous les efforts qu'on a faits pour l'employabilité de sa jeunesse, je préfère aller en France pour voir ce que ça va donner.

Je laisse maintenant la parole à Yedaly Ould Mohamed.

— Merci, Kolo, dit Yedaly Ould Mohamed. Nous vous demandons d'abord de nous excuser, car nous venons de parler entre nous et il se peut que vous fussiez en train de nous attendre. Nous ne savons même pas ce que les autres ont dit de la proposition de notre chef. Mes frères et moi, nous avons longuement parlé de la situation actuelle à laquelle les entreprises de notre chef font face. Au lieu de 5 minutes, je pense qu'on a parlé environ 1 heure.

Nous, nous sommes convenus que, quelle que soit la situation, nous ne pouvons jamais quitter notre chef. Tout d'abord, nous sommes des Arabes et lui il est noir et riche. Mais il n'a jamais montré qu'il était raciste envers nous, on a jamais senti que nous travaillions avec une personne qui n'a pas la même couleur que nous. Avec lui nous avons toujours senti, la sécurité, la tendresse et l'amour. Donc nous sommes prêts à y aller travailler avec lui au bout du monde. Ensuite je suis un Arabe, je n'ai jamais voyagé dans ces pays précités et je ne sais pas comment ces pays fonctionnent. J'aimerais qu'il nous explique davantage les avantages et les inconvénients de ces pays. Mais, quel que soit ce qu'il dira, nous serons partants. Je veux vous dire aussi qu'il ne faut surtout pas que vous croyiez que tous les Arabes de Mauritanie détestent les noirs ou tous les Arabes de ce pays trouvent facilement le travail dans l'administration. Si c'était le cas, je ne travaillerais pas pour Cheikh aujourd'hui. Il y a les tribus des Arabes puissantes qui trouvent tout ce qu'elles veulent et nous les autres on survit comme on peut.

Enfin personnellement, si on me demandait de décrire une Mauritanie que j'aime, je dirais que : nous voulons une Mauritanie d'honneur. Une Mauritanie qui sera prête a honoré ses fils ou ses filles, quelle que soit la couleur de sa peau ou son origine. J'aime une Mauritanie de fraternité. Une Mauritanie dans laquelle ces citoyens ne se reconnaissent que par la valeur de la fraternité et non par leur tribu. J'adore voir un jour une Mauritanie de justice. Une Mauritanie où la justice sera au-dessus de la considération raciale, tribale ou ethnique. C'est à dire une Mauritanie de tous les Mauritaniens, mais pas une Mauritanie pour les blancs et une autre Mauritanie pour les noirs. Nous voulons une Mauritanie qui reconnaît les erreurs qu'elle a commises et une Mauritanie qui pardonne ses erreurs reconnues.

Nous voulons avoir une Mauritanie qui fêtera tous ensemble les anniversaires de son indépendance et non une Mauritanie qui fête l'indépendance et l'autre Mauritanie qui pleure ses 28 morts à chaque anniversaire de sa libération. Nous voulons vraiment une Mauritanie sans les écoles de riches et les écoles de pauvres. Nous volons plutôt une Mauritanie de l'école républicaine que tous ses fils et ses filles porteront un uniforme de couleur du drapeau national et pourront apprendre ensemble dans la tranquillité toutes les langues nationales et les langues internationales. Et nous voulons également une Mauritanie où le monde viendra copier son modèle de développement. Une Mauritanie où tout le monde sera épanoui sur le plan social, économique, politique et surtout culturel. Une Mauritanie où les touristes et les investisseurs en feront leur destination prioritaire...

— Bravo ! dit Bouba Keita. Yedaly, le jour où tu seras président, tu vas régler tous les problèmes de ce pays. Merci en tout cas, en effet, la Mauritanie, à l'instar de beaucoup de pays africains, déteste ses fils diplômés. Nous méritons beaucoup dans ce pays comme ces gens continuent à nous suivre pas à pas juste pour nous détruire, je n'ai pas d'autre choix que de quitter ce pays. Je veux retourner là où j'avais fait l'université. Sinon quitter mon pays même dans mes rêves les plus agréables, je ne m'imaginais pas un instant, mais « un éléphant ne peut pas se battre avec une fourmi », comme disait mon cousin. Je reconnais que je suis trop petit sur tous les plans pour me battre avec ces Berbères aujourd'hui. J'admets que je suis insignifiant pour faire la guerre contre ces Berbères maintenant. C'est pour cela que je décide de partir, car premièrement je me sens psychologiquement faible et j'ai vraiment besoin de rester dans un endroit qui est très loin de la Mauritanie pour que je fasse un solide examen de conscience sur le sujet de ces Berbères, puisque je ne comprends vraiment pas comment, ils détestent amèrement et éternellement notre ami. Mais une chose que jamais j'abandonnerai c'est mon combat et notre mouvement. Je veux retourner aux États-Unis pour me reposer un peu, pour bien me positionner, mais je rentrerai dans l'avenir proche, car je ne peux pas laisser seul notre ami Ismaël Thiam dans la main de ces Berbères.

Toutefois rien ne pourrait nous empêcher de faire notre combat ailleurs. D'ailleurs, pour que notre combat soit visible, il faudra que nous passions dans de grandes chaînes de télévision. Et aux États-Unis, il y a tellement de puissantes chaînes des informations parmi lesquelles on peut citer : CNN, FOX News... Il y a aussi les journaux indiscutables comme The New York Times, USA Today ou The Washington Post qui pourront nous aider non seulement a diffusé nos idées, mais aussi à nous aider à sensibiliser l'opinion internationale à notre faveur, parce que la Mauritanie fait partie des rares pays au monde où l'esclavage et la discrimination ne sont interprétés qu'à la faveur des dominants. Ces dominants devraient nous protéger contre la marginalisation et contre la discrimination. Hélas, ils ont décidé de nous chasser juste parce que selon eux un noir n'a pas le droit de réussir dans ce pays. Un noir n'a pas le droit de faire employer une personne ayant la peau blanche. D'ailleurs les Beidanes qui travaillent avec nous, nous disent toujours que les Berbères les insultent tous les jours sur les réseaux sociaux juste parce qu'ils travaillent pour Cheik. En fait, l'un parmi eux avait perdu sa femme, étant donné que cette dernière lui avait interdit de travailler pour un noir. La femme de ce dernier avait même qualifié de tragédie du fait que le parton de son mari soit un noir.

De l'autre côté, Yedaly Ould Mohamed a été chassé par son père. Tout commence, le jour où il avait décroché son job chez Diop après deux ans de chômage. Ce jour-là, il était rentré euphoriquement chez lui avec son contrat de travail. Quand son père a su que son patron était un noir, il le supplia d'annuler ce contrat. Mais Yedaly qui voulait vraiment travailler avait accepté la proposition de son père visiblement. Mais en réalité, il travaillait en cachette. Les choses se détérioraient, le jour où son père avait su qu'il travaillait toujours avec Cheikh Diop. Il lui demanda d'arrêter immédiatement, mais cette fois-ci, Yedaly refusa ouvertement la décision difficile de son père. Ce dernier lui chassa de chez lui. Et depuis ce jour-là, jusqu'aujourd'hui, il vit chez son oncle. Quand Cheikh avait découvert ce lourd secret. Il a essayé de régler en maintes reprises l'affaire de son employé, mais jusqu'à présent les lignes ne bougent pas, car le père de celui-ci avait juré de pardonner son unique fils, le jour où il quittera l'entreprise de Cheikh.

Mais Cheikh avait promis de former cette fois-ci une délégation de dix-sept sages qui partiront chez le père de son employé pour tenter pour la derrière fois de lui convaincre de pardonner son fils avant son voyage vers le Sénégal.

Aujourd'hui, c'est un grand jour pour Cheikh Diop. C'est son jour de mariage. Dans sa somptueuse villa, il y avait beaucoup de gens. L'ambiance était impressionnante. La musique sénégalaise, Malienne et même Mauritanienne raisonnée belle. Les enfants criaient de leur côté, les vieux s'asseyaient sur le tapis et les jeunes garçons étaient dans leur zone de confort, alors que les filles aussi étaient dans le leur. De l'autre côté de la maison, c'était le tam-tam qui résonne. Pas n'importe lequel, c'était la danse que le wolof appelle « Sabar ». Tous les Sénégalais qui assistaient à cette danse la dansaient avec un rythme effréné. Tellement, les gens aimaient cette danse fantasque, tout le monde occupait la place dans laquelle les gens dansaient. Des gens trop agités refusaient de sortir dans le cercle où les danseurs dansaient. Les jeunes du comité d'organisation tentaient le tout pour le tout afin de calmer la situation. Malheureusement, la situation était trop tendue et, chaque minute qui passait, la situation devenait de plus en plus incontrôlable. Certains danseurs exécutaient la danse avec un bâton ayant du feu. Tandis que d'autres avaient le mortier à la main. Ce n'était pas tout, la chose la plus surprenante, c'était certaines jeunes filles wolofs avec le mouvement de leur corps, on les voyait presque dénudées, roulaient leur poitrine au sol et d'autres soulevaient leur jambe comme de karatékas. Les cris des spectateurs étaient assourdissants. C'était là que le chef du comité d'organisation avait décidé d'interrompre momentanément l'ambiance pour essayer de mettre les choses en ordre.

Comme il y avait plusieurs groupes de danseurs qui étaient invités pour la fête. Finalement les organisateurs ont décidé que chaque troupe de danse ne devrait pas dépasser 7 minutes sur la scène et tout le monde était d'accord. Mais malgré leurs accords certaines troupes refusaient d'arrêter de danser lorsque leur temps épuisait. Par contre, certains disaient que le metteur en scène favorisait certaines troupes par rapport aux autres.

Quoi qu'il en soit, le mariage de Cheikh Diop était bien passé parce que les invités ont bien mangé, bu toutes sortes de boissons. Ce mariage avait duré 6 jours. Durant ces 6 jours, 6 moutons, 6 chèvres, 6 dromadaires et 6 bœufs ont été égorgés. 6 jours pendant lesquels Cheikh et ses amis avaient oublié tous les problèmes de la Mauritanie. 6 jours pendant lesquels, la culture négro-africaine et celle de Beidane s'étaient côtoyées dans la paix et dans l'amour.6 jours pendant lesquels la culture avait pris le dessus sur le racisme. 6 jours pendant lesquels l'amour était aussi au-dessus de la considération raciale. Cette fête avait fait vraiment bouger la ville de Nouakchott, parce que c'était rare, voire inexistant, de voir qu'un noir se marie avec une Mauresque. Une semaine après leur mariage, Cheikh et sa femme Fatima Mint Zahara décidèrent de faire leur lune de miel à l'hôtel Alquaima de Nouakchott pendant 6 jours. Le jour même que ce dernier et sa femme ont regagné, leur domicile, c'était le même jour que Kolo Koulibaly s'envola vers la France, Bouba Keita, vers les USA.

Ismaël Thiam comme il a décidé de rester en Mauritanie, c'était lui qui a été choisi pour présider cette année le 10e anniversaire de la mort de la mère de Lamine Mangane.

Un mois après le départ des amis de Cheikh et deux mois après la démission d'Ismaël Thiam dans l'entreprise de son ami, Cheikh Diop organisa la dernière réunion avec ses employés avant son grand voyage au pays de la Teranga.

— Mes chers amis, je suis heureux de vous voir tous présents ce soir. Il y a des gens avec lesquels j'ai travaillé depuis plusieurs années. Néanmoins il y a également de nouveaux employés qui ont fait de belles expériences au sein de groupe dans lequel ils travaillaient. Toutefois, je dois vous présenter les hommes que j'ai engagés pour 5 ans de contrat. Celui qui porte le boubou bleu, s'appelle Bakary Cissé. Il a travaillé avec le groupe de Transport intercontinental. Il a 5 ans d'expérience et il a Bac+ 5 en Ressources humaines. Il est désormais notre nouveau Contrôleur General. Amadou Barry, il était dans l'agence, de Néma Transport pendant 8 ans, il est nommé informaticien. Il a son BTS en informatique. Il va travailler dans mes entreprises qui sont en Côte d'Ivoire. Ahmed Ould Abderrahmane sera notre logisticien, il a 4 ans d'expérience sur ce domaine. Il est sortant du lycée de Formation Technique et Professionnelle Commerciale de Nouakchott.

En ce qui concerne les anciens, Yedaly Ould Mohamed est choisi comptable général. Il prend la place de Bouba Keita. Il connaît bien mes entreprises pendant 6 ans, je travaille avec lui. Il a la licence en comptabilité. Il est ancien élève de GEU Académie de Nouakchott. Le secrétaire général revient également à l'ancien Mohamed Ould Nana… Laissez-moi vous féliciter pour le dynamisme et le courage dont vous avez fait preuve durant la formation accélérée que vous venez de faire. Je vois que vous avez un engagement total pour mes entreprises. Je crois en vous, je crois à votre courage et je crois à votre persévérance. Le travail dans une entreprise est d'abord un travail d'équipe. Nous sommes des collaborateurs légaux et non des ennemis et j'aimerais que nous partagions nos expériences ensemble.

Et n'oubliez surtout pas que notre but à tous est la réussite des entreprises et pour atteindre ce but chacun de nous va donner le meilleur de lui-même. N'oubliez pas également que les choses ne seront pas faciles, car nous n'allons pas travailler dans notre pays. Certains parmi nous iront au Togo, d'autres, en Côte d'Ivoire, au Mali et certains au Sénégal. Vous aurez forcément le problème d'intégration, de la communication. Mais tout cela sera de la courte durée. Cependant, ce que je ne veux pas entendre un jour ; c'est de la dispute ou la bagarre entre mes employés ou entre mes employés et nos clients. J'aime le pragmatisme et tout doit être parfait comme avant. Je ne saurais fini sans rendre un ardent hommage à mes anciens amis et collaborateurs. Je pense directement à Bouba Keita, Kolo Koulibaly ou encore Ismaël Thiam. Si mes entreprises existent aujourd'hui, c'est grâce à eux. On a travaillé ensemble dans l'harmonie totale pendant plusieurs années. Avec eux, mes entreprises avaient connu les croissances en plusieurs chiffres. Avec eux nous sommes devenus le numéro 1 de transport terrestre de Mauritanie. Aujourd'hui, ils sont tous allés à l'étranger à l'exception d'Ismaël Thiam qui a rendu gentiment sa démission quand j'avais décidé de délocaliser mes entreprises qui étaient sur le sol mauritanien vers le Sénégal.

Pendant que Cheikh rendait un vibrant hommage à ses anciens employés, il pleurait en catimini, mais il essayait de camoufler ses émotions en vain. L'émotion a été forte, un de ses employés lui a donné son mouchoir.

Pendant que celui-ci tournait pour essuyer ses larmes, l'impossible se produisit ; Mohamed Lemine et Bilal Ould Bilal pénétrèrent dans le salon de Cheik, ils saluèrent tout le monde et prirent place. Quand les trois regards se sont croisés, Cheikh resta immobile, perplexe et pensif.il n'imaginait pas ce qu'il voyait devant lui. Aussitôt, il déclara la fin de la réunion. Quand les employés de celui-ci étaient partis, il fit le thé pour ses anciens amis. C'était autour du thé que Mohamed Lemine a pris la parole :

— Mon cher ami c'est avec profond remords que je suis venu te présenter mes plus sincères excuses. Je suis venu aujourd'hui, pour essayer de recoller les morceaux entre nous afin de reprendre notre amitié non seulement avec toi, mais aussi avec les autres comme : Boubou, Kolo et Ismaël. Cela fait plusieurs années que nous ne nous sommes pas adressé la parole et cette situation me pèse atrocement.

Cheikh, tu as toujours été de mon côté quand tout allait mal, donc impossible de t'oublier. Avec toi et les autres amis précités, nous avons passé les instants de joies inoubliables. Mais un jour sans dispute ni bagarre, j'ai décidé de couper le pont avec vous inutilement. Je sais que tu me détestes déjà et je sais que tu vas me détester plus aujourd'hui. Cependant, je préfère dire tout ce que je vous ai fait pour que j'aie un esprit tranquille ; pour que je puisse dormir correctement pour la première fois, pendant plusieurs années. En fait, c'est grâce à moi que Thiam n'a pas pu rentrer à l'ENA, car la fille qui avait pris sa place et ma nièce germaine. D'ailleurs c'est grâce à l'appui de son père que je puisse décrocher le boulot que je faisais. C'est moi en personne qui avais proposé cette sale solution à son père quand sa fille avait échoué au concours avec moins général de 3/20 et celui-ci avait donné 200 000 MRU, je pense aux cadres de cet établissement pour que sa fille puisse intégrer coûte que coûte dans cette prestigieuse école. Il faudra qu'on élime impérativement un étudiant, car il y avait un quota à respecter. Malheureusement, j'avais demandé au DRH de cette institution d'enlever le nom de mon très cher ami Ismaël Thiam. C'est comme ça que Mariam Mint Salah est rentrée à l'ÉNA. Avec telle moyenne, je ne sais pas comment elle a pu faire pour s'en sortir là-bas. Ce qui est sûr c'est qu'elle est aujourd'hui quand même ambassadrice de Mauritanie en Italie. Et c'est encore moi qui avais empêché Bouba Keita de travailler dans la banque centrale ; j'avais donné son poste à une fille de la tribu à ma mère. Cette fille était une amie à ma sœur et donc j'avais juste joué mon rôle à ma manière.

De plus, c'est toujours moi qui avais mobilisé plusieurs tribus des commerçants de notre communauté pour te faire succomber. Je regrette fort aujourd'hui ce que j'avais fait.

Si c'était à reprendre ; jamais je ferais de choses pareilles. J'ai été attiré par l'arrogance, par la célébrité et surtout par l'argent. Il fut un temps tout ce qui comptait pour moi, c'était de l'argent, peu importe d'où il venait. C'est pour cela que mes amis et moi fabriquions de faux billets jusqu'au jour où j'ai frôlé de justesse la prison grâce à l'innervation de mon oncle qui est un haut grade de l'armée. Depuis ce jour-là, j'avais décidé de laver définitivement mes mains à tout ce qui était illicite et illégal.

Aujourd'hui, je suis devenu pauvre. J'ai été limogé par la nouvelle gouverneure de la banque centrale. Comme je fais face à une banqueroute, le gouvernement a confisqué ma maison et ma femme m'a demandé le divorce et est allée en Espagne en volant tous mes biens que je lui avais confiés. Enfin je suis venu te demander de me donner un emploi. Je suis prêt même à ramasser de l'herbe chez toi…

— Je suis venu aussi pour la même raison, a laissé entendre Bilal Ould Bilal.

Il développa ses idées :

— Mon cher Cheikh, mon grand-père disait : « la trahison tue directement la confiance ». Je sais que comme nous t'avions trahi, peut-être tu ne nous croiras plus jamais jusqu'à ta mort. Je veux te rappeler une chose, nous sommes des humains et on se trompe dans la vie de tout le jour. En mon titre personnel, je sais que ce que j'avais fait, c'était injuste, mais dans la circonstance que nous étions tu pourrais me comprendre. Je suis venu tout d'abord vous demander mes sincères excuses et je souhaite renouveler notre relation amicale. Quand tu acceptes mon pardon maintenant, j'irai également demander des excuses aux autres amis jusque chez eux aujourd'hui même. Pour ton information, moi aussi j'ai été limogé à mon poste que j'occupais durant toutes ces années. Je suis criblé de dettes et je ne sais même pas quoi faire. Et j'ai le retard de sept mois sur mon loyer, et mon bailleur m'avait dit hier, si je paie au moins quatre mois dans une semaine, il pourrait me laisser dans sa maison. Mais si ce n'est pas le cas, je dois quitter automatiquement là-bas.

Tout d'abord je veux que tu m'aides à payer mon loyer et ensuite j'aimerais que tu m'intègres dans ton entreprise. Je suis prêt à être même ton docker.

Cheikh Diop donna directement à chacun d'eux 100.000MRU et leur demanda de passer demain chez lui pour qu'il puisse en discuter de leur intégration dans ses entreprises.

Les choses sont changées pour les anciens employés de Cheikh Diop. Aujourd'hui, chacun de ces jeunes engagés vit tranquillement et dignement. Ismaël Thiam a été nommé le Haut représentant de Nations Unies en Mauritanie. Il travaille aujourd'hui sur le compte de l'ONU. Thiam sillonne le monde entier ; aujourd'hui pour mener à bien la diplomatie active. Il avait affirmé l'an passé sur la tribune des Nations Unies que « la Mauritanie est l'un des derniers pays du monde qui continuent à traiter un noir comme s'il était une chose, et son combat serait de donner aux noirs de ce pays ce qui leur a été arraché par la force depuis les années des indépendances ». Sur le plan économique, il est devenu très stable. La fois passée, il avait construit une villa dans le quartier chic de Nouakchott. Le coût total de cette merveilleuse villa était de 137.0000 dollars américains. Récemment, il a même créé sa fondation dont le but est de scolariser les enfants orphelins de son ancien quartier de Nouakchott. Kolo Koulibaly a aussi décroché un travail en France. Il travaille dans le CNRS aujourd'hui. Lui aussi, il venait d'acheter un joli appartement dans le 5e arrondissement de Paris. Il est venu se marier le mois passé en Mauritanie avec sa cousine, la belle Lala Diakité et il était reparti avec elle en France. Lors de son court séjour en Mauritanie, il avait affirmé la fois passée que « si ta mère indigne te jette ce sont les autres mamans dignes qui vont te prendre pour te rendre digne ». Boubou Keita quant à lui travaille aujourd'hui à la NASA. D'ailleurs il est le premier Mauritanien à travail dans cette prestigieuse agence spéciale.

Comme la Mauritanie avait décidé de jeter sciemment ses propres fils à la poubelle, voilà le résultat. Les autres en ont bénéficié facilement et tranquillement. Tant que l'administration continuera à octroyer les postes de l'État par le clientélisme, le régionalisme ou le tribalisme, ce pays connaîtra toujours la fuite de cerveaux.

Tant que le pouvoir mauritanien continuera de favoriser le laisser-aller dans les administrations, nous n'aurons affaire qu'aux incompétents. Ironie du sort l'an passé, Boubou Keita était venu en Mauritanie pour discuter avec le président de son pays, tellement le président avait honte, il n'arrivait même pas à le regarder.

En plus, dans la vie, la vérité finit toujours par éclater. Cette année, la Mauritanie a un nouveau président à sa tête. Ce président a lancé la guerre contre les sans et les faux diplômés qui travaillent dans les différentes administrations du pays. Monsieur le Directeur des Ressources Humaines de l'École Normale d'Administration qui avait empêché mensongèrement Thiam de rentrer à l'ÉNA a été destitué dans la fonction publique, car tous ses diplômés étaient faux. La population désespérée de la Mauritanie est à l'attente. Les observateurs aussi suivent de près les premières actions louables de nouvel homme fort de Nouakchott. Ainsi, entre l'espoir et l'attente, l'écrasante majorité de la jeunesse mauritanienne désespérée a choisi le doute.

Imprimé en Allemagne
Achevé d'imprimer en mai 2023
Dépôt légal : mai 2023

Pour

Le Lys Bleu Éditions
40, rue du Louvre
75001 Paris

Milton Keynes UK
Ingram Content Group UK Ltd.
UKHW040738310723
426074UK00005B/534

9 791037 798565